COLLECTION DU GOÉLAND

Dans ses voyages au long cours, le goéland, cet oiseau marin, survole les continents de l'Arctique à l'Antarctique. Il plane sur les côtes et les baies, les lacs et les rivières jusqu'à l'intérieur des terres.

La collection du Goéland, par la diversité de ses auteurs et de ses sujets, vous propose de le suivre dans ses merveilleux voyages au fil des mots.

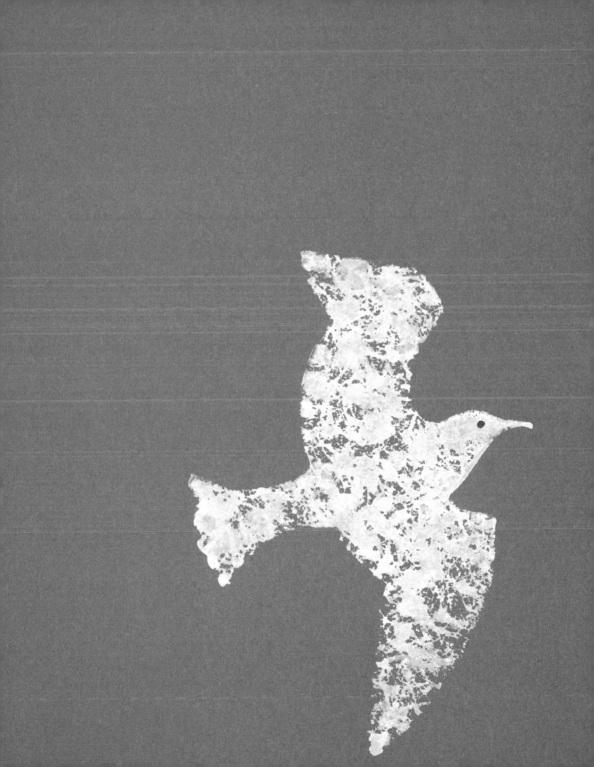

en pleine terre

germaine guèvremont

en pleine terre

Illustrations de André Bergeron

COLLECTION DU GOÉLAND

LES ÉDITIONS FIDES, 235 EST, BOUL. DORCHESTER, MONTRÉAL

ISBN : 2-7621-0598-6

Dépôt légal : 2e trimestre 1976, Bibliothèque nationale du Québec.

Achevé d'imprimer le 28 septembre 1979, à Montréal, aux Presses Élite Inc., pour le compte des Éditions Fides.

paysanneries

1
chauffe, le poêle !

L'éclaircie qu'il a raclée à l'aide de ses gros ongles et qu'il a élargie à la chaleur de son souffle, dans le frimas qui engivre la vitre, permet à Amable Beauchemin d'observer les choses du dehors. Assis près de la fenêtre, il suit des yeux, sans les voir, les charrois de bois qui défilent lentement sur le chemin du roi. À l'encontre de son naturel, le jeune paysan ne songe pas à estimer les billes de liard et d'orme, pas plus qu'à gourmander le chien qui jappe sans raison : il est tout à sa peine. Le soir tombe en bleuissant la nappe de neige dressée sur la commune et l'échine des montagnes, tantôt arrondie au creux du paysage, se confond maintenant à la plaine. Noël approche. Encore quelques heures et toute la famille appareillera pour la messe de minuit. Sauf Amable, indifférent aux préparatifs d'usage.

Deux fois déjà Éphrem, le cadet, a rempli la boîte à bois de bon merisier sec. Et chauffe, le poêle, chauffe ! que les tartes soient dorées, les gâteaux épanouis et que le père, la mère, l'aïeule, les filles, les garçons et les petiots aient le cœur content

11

de se régaler dans la cuisine familiale, par la nuit miraculeuse qui s'avance !

Afin que tout soit à point pour le réveillon, la mère Mathilde Beauchemin et sa fille Marie-Amanda voyagent depuis le matin du bas-côté à la grand-maison. Huit jours durant elles ont apprêté l'ordinaire des fêtes avec ce qu'il y a de meilleur sur la terre. Et voici l'heure venue d'apporter la jarre comble de beignes poudrés de sucre fin, le ragoût où les boulettes reposent dans une sauce épaisse, les tourtières qui fondent dans la bouche et les rillettes généreusement épicées par la main savante d'Amanda. La dinde qui commençait à « geleotter » au froid, s'affaisse dans le réchaud, insouciante désormais de son sort glorieux. Tout au haut du bahut, bien en sûreté loin de la vue des enfants, les sucreries, les oranges et les pommes languissent derrière une pile de draps. L'aïeule, mécontente d'être reléguée à de petites besognes, s'emploie à écaler les noix longues, trottine ici et là tout en déplorant qu'on ne fasse plus de pralines comme dans son jeune temps.

Marie-Amanda veille à l'ordre de toute la maison : elle veille à protéger les laizes de catalogne sur le plancher frais lavé et les ronds de tapis neufs, — elle-même donne le bon exemple en marchant sur ses bas — elle veille aux armoires bien rangées, au poêle qui reluit, elle veille à tout. Pensivement elle s'abandonne à la fatigue. Depuis le commencement des avents, en a-t-elle donné une bourrée à l'ouvrage ! Mais elle se redresse hâtivement : le pain de Savoie menace peut-être de brunir ou c'est le rôti qui gratine un peu fort au fond du vieux chaudron. Une vraie fille accomplie, Marie-Amanda. Agréable à l'œil. Fiable. Franche du regard, avec un cœur d'or ouvert au malheur d'autrui et fondant de joie à la seule évocation du

12

retour de son amoureux, Ludger Aubuchon, navigateur de goélettes. Sa petite sœur Alix s'en doute fort qui ne cesse de fre-
donner :

Mademoiselle
frisez-vous belle

car votre amant
va venir demain.

S'il vous embrasse,
faites la grimace...

— Alix !

À peine a-t-il esquissé un geste de colère qu'Amable retourne à son chagrin. L'an dernier, à pareille date, il n'était pas à
se manger les sangs ainsi puisque son amie, Alphonsine Ladouceur, l'institutrice du rang, avait consenti à l'accompagner à la
messe de minuit. Avait-il assez recommandé à Amanda de
soigner le réveillon et de mettre cuire à part un morceau d'échinée pour sa blonde qui n'aimait point l'ail ?

Phonsine ! Toujours Phonsine !

Comme il s'était inquiété de la voir refuser la grande chape
d'étoffe du pays, même la crémone dont toute fille raisonnable
s'atourne par les grands froids, et accepter seulement, en se
faisant prier, la maigre protection d'un nuage de laine enroulé
autour de son chapeau de la grosseur du poing ! Ah ! la Phonsine ! si belle, si vaillante !

Sur le dernier coup de onze heures, dans la carriole munie
de paille et de briques chaudes, et bordée amplement de la
robe de peau de mouton, ils avaient bravé l'air vif qui pinçait

les joues comme des doigts secs pour se rendre à l'église de Sainte-Anne de Sorel adorer le Divin Enfant et implorer la bénédiction du Ciel.

À genoux devant la crèche, d'un cœur pieux, Amable contemplait ce Dieu fait enfant pour nous racheter, ses petits bras ouverts en signe de promesse, apportant mer et monde aux hommes de la terre ; sa sainte Mère, la douce Vierge Marie, tout de bleu vêtue, en adoration devant Lui ; les bergers extasiés et le petit chevrier, à l'écart, qui, pour tout voir n'a que son chalumeau. L'ancien mystère, les airs de Noël, la poésie évangélique et l'odeur de la résine agitaient au cœur d'Amable le plus pur émoi. Tout, tout l'encourageait à poser, cette nuit-là, la question qui le tourmentait depuis des mois. « Bon petit Jésus », avait-il supplié, « permettez qu'Alphonsine soit ma femme ». Et comme avec lui les marchés se font rondement, donnant donnant, il avait offert : « Je vous promets en échange de ne pas toucher une goutte de boisson forte pendant des années à venir ». À ses côtés, Alphonsie, les yeux baissés, se hâtait de réciter mille avé pour obtenir trois grâces.

*   *   *

Une nuit féerique les attendait à la sortie de la messe. Une nuit à reflets bleus qui argentaient le hameau. Des maisons basses qu'on eût dites agenouillées dans la neige autour du clocher, montait une fumée blanche, en colonnes droites et haute à la façon des cierges pour une Chandeleur. Au loin, la campagne pailletée brillait de mille feux jusqu'à la ligne noire du bois. Sur le perron de l'église, des visages familiers accueillaient Amable et Alphonsine d'un sourire d'amitié ou d'une

14

œillade de malice. Amable les nommait tous avec autant d'agrément que s'il les eût retrouvés après des années de séparation : les Provençal, les Fleury, les Desmarais, les Salvail et d'autres venus du Chenal du Moine et d'un peu partout dans les environs.

Au retour, les guides passées autour du cou, profitant d'un bout de chemin uni avant de s'engager dans la montée où la route en lacets abonde en cahots, il avait avoué à Alphonsine qu'il l'aimait et la demandait en mariage. À sa prière ardente seul avait répondu le bruit des grelots et des mottes de glace qui frappaient le traîneau.

— Phonsine !

Alphonsine se taisait toujours. Le silence, un grand silence étranger et hostile, élevait entre eux un mur que chaque seconde alourdissait d'une pierre. Les mots d'amour préparés par Amable, avec la même ferveur qu'on élève un reposoir, s'étaient terrés, honteux, au plus obscur recoin de son cœur.

Ah ! la belle avait bien tenté de lui expliquer ses sentiments tout d'amitié pour lui, puis sa volonté de rester libre un an de temps et de s'engager à Montréal ; mais il était trop tard. Absolu, avec l'impatience de la pleine jeunesse, Amable avait exigé une réponse sans tarder. Attendre un an jusqu'à la Noël prochaine ? Un an ! Elle n'était guère pressée de dire oui ! Et reprenant les guides bien en main, il avait fouetté le cheval qui, d'étonnement, se jeta à l'écart dans la neige jusqu'au poitrail.

— Arrié, Gaillarde !

À toutes les veillées des fêtes, aux jours gras, à la mi-carême, Amable avait escorté Alphonsine comme si rien n'était.

15

Mais aucune parole douce n'avait plus franchi le bord de ses lèvres : la source en semblait tarie à jamais. Quand, par un dimanche de la fin de juin, Alphonsine avait quitté le rang, Amable enragea : son Alphonsine, une fille « engagère » ! Il prit à travers les champs, seul, à grandes enjambées jusqu'au bois et nul ne le revit de clarté, ce jour-là.

Une bouffée d'air gelé refroidit la cuisine. Le père Didace Beauchemin paraît sur le seuil de la porte. Il rentre de Sorel et se jette dans la maison comme si quelque main brutale l'y eût poussé. De sa figure forte et colorée, on ne distingue d'abord que l'œil vif, les épais sourcils enfrimassés et la moustache frangée de glaçons. D'un commun accord, chacun s'affaire autour de lui et l'aïeule se hâte vers le poêle où elle met la théière à chauffer.

D'un caractère entier, lent à parler mais prompt à la colère, le grand Didace Beauchemin, selon les voisins, voir venir les autres de loin. Prosterné au-dessus de la table, sans un mot, il transvide le thé brûlant de la tasse à la soucoupe et il boit le liquide à petites gorgées, indifférent en apparence à tout ce qui l'entoure. Mathilde et Amanda ont cessé leur corvée et elles assistent patiemment au rite familier, dans l'attente du récit toujours nouveau d'un voyage à Sorel. À la nouvelle que le maître rapporte, elles s'extasient : le pont de glace est formé entre Sorel et les îles. Quelle nouvelle pourrait davantage combler leur cœur ? Avant longtemps les Beauchemin verront sourdre leurs connaissances du Nord ; à leur tour, ils iront les visiter et ils sauront tout de ces amis lointains en ne leur cachant rien d'eux-mêmes. Déjà Didace Beauchemin s'enquiert si les femmes ont fait abondante la part des survenants.

16

— Ce n'est pas tant le manque de nourriture que je crains, assure Mathilde Beauchemin, comme le manque de survenants, par une bourrasque de vent semblable. À part des fils à Defroi, quel survenant se risquera par ici, à l'heure du réveillon ? Pas les gens du Pot-au-Beurre, hé, Amable ?

Pour toute réponse Amable, qui s'en va mettre de l'ordre dans les bâtiments, se contente de hausser les épaules.

Aussitôt la porte refermée, le père se fâche :

— Va-t-il continuer longtemps à être « jonglard » de même, celui-là ?

Il n'a pas fini sa phrase que la mère tente de le radoucir :

— Tu sais, mon vieux, quand un cœur a plus que sa charge, il faut qu'il déborde.

— Qu'il se console donc ! Il n'y a pas qu'une fille dans le monde !

— Non, reprend la mère, mais il n'y a qu'une Alphonsine Ladouceur.

Marie-Amanda l'approuve d'un beau sourire plein d'amitié.

*   *   *

César, le chien, a averti la maisonnée de l'approche d'un étranger.

— Salut, tout le monde !

La visite du commerçant de Sainte-Anne n'est pas une nouveauté ; aussi chacun vaque à ses occupations, soit qu'il débite son discours sur la température, l'état des routes et les petites nouvelles recueillies dans sa tournée, qu'il aille boire un coup d'eau à la pompe, soit qu'il tende ses mains velues à la chaleur du poêle tout en humant ce qui y est à mijoter.

— À propos, commence-t-il, soudainement, j'ai ben mieux que ça dans ma voiture.

Comme si le Saint-Esprit eût par ces paroles rendu toutes choses claires et faciles, Amable a compris qu'Alphonsine est revenue et son cœur, de plomb qu'il était, se met à voler, plus léger qu'alouette du printemps. Et vole ! vole !

C'est à qui serait à la fenêtre, la lampe à la main ; c'est à ce qui s'acharnerait à dégivrer les vitres. Éphrem, coiffé à la hâte d'une toque de fourrure, est déjà au dehors. Tous s'exclament :

— Phonsine !

*   *   *

Phonsine, qu'as-tu fait des roses fraîches de tes joues et de la lumière de ton regard brillant ?

Personne ne lui demande compte de son retour mais elle sent bien vite qu'elle en doit l'explication à ses amis.

— La ville, commence-t-elle après s'être réconfortée, c'est plus beau de loin que de proche. J'ai pâti par là, pas de manger, mais pâti de compagnie, d'amitié.

— Tes maîtres étaient fiers ? questionne Amanda.

— Je peux pas dire qu'ils étaient fiers. Non, je peux pas dire ça.

Et deux fois encore elle proteste avant de continuer :

— C'est du bon monde à leur manière, mais ils ne mènent pas la même vie que nous autres. Je vais vous en donner un exemple : ils se réunissent l'après-midi tout bonnement pour boire une sorte de boisson qu'ils appellent un cocktail, mais qui est ni plus ni moins que le petit caribou de par chez nous.

— Ah ! cré bateau, ça vit en grand ! observe le père Beauchemin vivement intéressé, lui qui ne dédaigne pas un coup de fort.

— Vous dire toute la toilette qu'ils portent, poursuit Alphonsine, c'est pas disable. J'ai vu un manteau de vrai vison ; je l'ai même tenu dans mes mains. Apparence qu'avec le prix de ce vêtement-là, une famille de par ici peut s'acheter une terre.

— Une terre ! C'est presquement pas chrétien de dépenser tant que ça, réfléchit la mère Beauchemin, scandalisée.

Et tout bas, Alphonsine ajoute doucement :

— Quand j'ai vu venir le temps des fêtes, il m'a pris un ennui...

Marie-Amanda, impuissante à traduire sa joie, se contente de dire :

— Avoir su que tu reviendrais pour le réveillon, j'aurais pas mis tant d'ail dans le rôti.

L'aïeule reprend :

— Didace attendait des survenants, mais Amable comptait jamais sur une survenante.

Amable n'a pas prononcé une parole mais il n'a qu'une question au cœur. Et voici qu'Alphonsine d'elle-même apporte la réponse ardemment attendue :

— Je reviens pour toujours si tu n'as pas changé d'idée.

— Bondance ! non !

Tout le monde rit tandis qu'Amable accourt au poêle. Il tisonne et tisonne pour que personne ne voie ses larmes qui tombent sur la braise vive.

Et chauffe, le poêle, chauffe !

2

la glace marche

Dès qu'elle avait donné son cœur au bon Dieu, chaque matin, Marie-Amanda, la tête enroulée dans un tablier à carreaux, courait au perron prendre « l'air de vent ». Même quand l'hiver était à son mieux, par les froids durs et secs, elle ne manquait pas d'aller au dehors saluer le jour nouveau. Invariablement, la grand-mère, que cette coutume désespérait et qui marchait tant bien que mal, se traînait à la fenêtre pour faire signe à la jeune fille d'entrer.

Mais par ce matin de mars, malgré les exhortations de l'aïeule, Amanda s'attardait à plaisir. Tout l'accueillait de si belle façon ; à un ciel pâle, tendre aux regards, s'accrochaient des pans de nuages laiteux ; un vent doux caressait les choses et l'air embaumait, affiné par la nuit. L'eau qui, la veille au soir, s'était retirée sous le gel, s'écoulait librement en de nombreux rigolets chuchotant au soleil. Un volier d'outardes passaient sûrement au-dessus de la maison ; quoiqu'on ne pût les voir, leur cri était distinct.

Marie-Amanda, cependant, n'écoutait qu'un bruit : un grondement lointain vers lequel elle tendait tout son être : oui, c'était la glace qui grugeait. À ces signes multiples, elle reconnut les premiers gestes d'un printemps hâtif.

Ainsi le miracle de la délivrance allait s'accomplir de nouveau. La jeune paysanne songeait, avec un émoi indicible, au réveil de toute la nature : à l'eau courante parmi les joncs, à la sève abondante dans les arbres, aux bourgeons crevés en émeraudes, au bleu des mignonnettes, aux fraises rougissantes auprès du sable blond, elle songeait à la verte campagne, à l'odeur du terreau sous la pluie, aux cantiques des premières communiantes, aux oiseaux dans les nids, et la joie débordait de son cœur tandis qu'elle proclamait à toute voix :

— La glace marche ! Le printemps arrive !

*   *   *

Au cri d'Amanda, dans la maison postée en sentinelle au haut d'un raidillon, ils accoururent à la fenêtre. Des taches en effet surgissaient sur la glace. Seule l'aïeule s'obstinait à ne pas les voir. Entêtée, elle voulait faire triompher sa conviction que le fleuve et les chenaux, comme dans son petit temps, ne se délivrent que huit jours après la débâcle du Richelieu. Le fait que des barrages eussent changé le mouvement des glaces n'atténuait en rien sa croyance. Bientôt, tous durent convenir que la glace marchait.

C'était donc vrai ? Fidède à la promesse des mois, après le long hiver endormant qui assoupit les esprits et alourdit les membres, une fois de plus le printemps, si prompt à faire germer la vie et lever les espoirs, ressuscitait, chargé de messages, du cœur même de la terre ?

22

En hiver, sauf une veillée ici et là et la messe d'obligation, les sorties n'abondaient pas chez les paysans. Les femmes surtout demeuraient casanières. Les hommes, eux, outre les journées passées au bois, avaient fait l'équipée d'aller en bande manger la gibelotte chez un parent, dans les parages de Maska. Tout guillerets, par un vent à écorner les bœufs, ils s'étaient mis en route, pas un sou vaillant en portefeuille, mais bien munis de tabac et d'une ample provision d'allumettes. Qu'ont-ils tant besoin d'argent ceux-là dont les joies simples ne s'achètent pas à prix d'or ? Le printemps approchait qu'ils prolongeaient leur plaisir en en parlant encore comme d'un divertissement à nul autre comparable.

*   *   *

Le même jour, Amanda, grimpée sur une butte de neige durcie qui avait résisté aux avances du soleil, regarda longtemps sans se lasser la glace qui marchait. Des glaçons passaient à la file, sur l'eau noire, comme des gens en procession. N'était-ce pas une dame en promenade, cette grosse motte effritée en chandelle ? Le frazil lui avait même façonné un jabot de dentelle.

Le soleil avait glissé derrière les arbres tassés en forêt quand Marie-Amanda se décida à rentrer. La tombée du soir teintait de violet la commune et fraîchissait l'air tiède de tantôt. Le tourment, oublié un instant, de songer que son amoureux retournerait naviguer la reprit avec un regain d'énergie. Il la poursuivait jusque dans la maison. Non pas que Ludger lui eût fait part de son dessein, mais ce n'était pas uniquement par plaisir qu'il l'entretenait avec tant de soin de tout ce qui touche la navigation. Marie-Amanda n'aimait pas les navigateurs. Pour elle qui appréciait la sécurité de la demeure bien close, à la veillée, quand toute la famille est à l'abri et qu'on se couche en paix, la nuit venue, ils étaient gens peu fiables qui voyagent d'un bord et de l'autre et que les belles filles guettent à chaque port.

Un navigateur, son Ludger ? Pourquoi aller chercher sa vie au loin, se déposséder de son bien quand la terre, maternelle, offre mille bontés ? Le problème tournait en rond et ne présentait aucune issue. Pourtant, une fois ou deux, elle avait cru apercevoir dans les yeux de Ludger la lueur que l'amour reflète au regard des garçons amoureux. Elle s'était donc trompée puisqu'il la quitterait de son plein gré, sans lui avoir rien avoué de son sentiment.

*   *   *

Au bruit de pieds secoués vigoureusement sur le perron, Didace Beauchemin arrête le mouvement de sa chaise berçante :

— Qui est là ?

Bien sûr, c'est Ludger Aubuchon. À le voir misérable et gêné, adossé au chambranle de la porte, Amanda a deviné le but de sa visite. Moitié pour lui venir en aide, moitié pour alléger son cœur au plus tôt, elle s'arrache de la bouche la question qui la tracasse tant :

— Comme ça t'es décidé à partir ?

— Je vas te dire, Amanda, ils sont venus d'en bas pour « rapailler » du monde. Et les bonnes gages se refusent pas par les temps qui courent.

Après un long moment d'hésitation, Amanda reprend :

24

— Et quand c'est que t'as l'idée de t'en aller ?

— Pour parler franchement, Amanda, ça peut pas retarder. Le radoub des bateaux est achevé depuis longtemps et la pose des bouées commence demain matin. Mon paqueton est là sur le perron.

En tiraillant les mots, elle parvient encore à demander :

— Par où que tu vas naviguer ?

Ludger hésite et finit par avouer :

À l'eau salée.

— À l'eau salée !

L'ange noir du désespoir a soufflé au cœur d'Amanda la divine clarté que le printemps y avait allumée. Si au moins Ludger naviguait sur le fleuve à bord des goélettes, plaisantes à voir voguer au loin, dans le sillage des trois-mâts, ou même à bord d'une barge ou des dragues qui vont de temps à autre se ravitailler à Sorel, mais à l'eau salée, autant dire à l'autre bout du monde.

Gauchement, Ludger prend congé :

— Je m'en vas, Amanda, mais je serai pas tout parti, parce que je te laisse mon cœur.

*   *   *

Il s'était enfui et Marie-Amanda n'avait pas bougé, pas même pour lui donner le baiser des promesses. Comment aurait-elle trouvé le tour de parler quand elle avait à peine la force de respirer ? Assise, les mains jointes dans son giron, elle laisse couler les larmes qui tracent sur son visage leur chemin d'amertume.

Mais la terre est une souveraine qui ne tolère pas l'oubli de son règne :

— Quoi ! tu pleures sur toi-même, Marie-Amanda, et la huche est presque vide ? Et les hommes manqueront de pain ? Abandonne ta peine, pauvre fille, elle te rejoindra bien. Vite, retrousse tes manches. Prépare la levure. Il faudra cuire demain.

Au dehors une grosse neige voltigeait mollement. Il restait à subir l'hiver des corneilles et quelques légers revers avant le véritable printemps.

Vaillante comme pas une, Marie-Amanda voulut, le temps de reprendre courage, appuyer son front fiévreux contre la vitre froide de la fenêtre. Du regard elle cherchait Ludger dans tous les alentours.

Mais il n'y avait plus personne.

Rien que la glace qui marche... marche... marche...

3

un bon quêteux

Chaque famille du rang de Sainte-Anne possédait son quêteux, sans plus d'orgueil, telle une nécessité dans l'ordre de la
paroisse. Mais le quêteux adopté par les Beauchemin n'était pas
un quêteux comme les autres. Il n'appartenait pas à la race des
quêteux benoîts qui mendient de tout leur corps moulé aux
humiliations, la main creusée en sébile, le regard battu et le
genou fléchi ; ni à la trempe des mendiants des villes, redoutés
et sournois, quémandeurs dans l'ombre, qui, pour la plupart
« coquent d'un œil » sous la casquette complice. Ce n'était pas
lui qu'on aurait vu arriver à Sainte-Anne, à la brunante, en
rasant le bois et les clôtures ; toujours il prenait le mitan de la
route. Russe avait de la fierté : il n'allait pas au-devant de l'au-
mône ; il l'attendait, tête nue, le front haut, en digne quêteux
qu'il était.

Il ne déguisait pas non plus son état sous la pratique de
quelque petit métier, chaisier ou colporteur, et ne se lamentait
pas à tout venant que les pauvres gens ont toujours vent devant. Quêteux, il l'était de profession ; pauvre, par vocation,

pour perpétuer la parole du Christ : « Il y aura toujours des pauvres parmi vous... » De toute sa personne prophétique, il semblait dire : « Remerciez-moi de vous procurer la délivrance et le dépouillement de la charité, la bénédiction de vous sentir bons et surtout cette volupté du don de la main à la main qui fait jaillir des étincelles de vos cœurs tièdes. »

D'où venait-il ? Nul n'aurait su le dire au Chenal du Moine. Sûrement pas du rang des quêteux où les mendiants abondent et doivent s'entre-quêter pour vivre. Quand on le lui demandait, d'un geste vague, Russe pointait vers le nord, au large de Saint-Barthélemy. Peut-être voulait-il indiquer les concessions au-delà des vieilles paroisses laurentiennes ? Ou tout simplement la route.

À le voir, été, hiver, toujours vêtu d'étoffe du pays, les enfants l'avaient baptisé « le grand quêteux d'étoffe ».

*   *   *

— C'est curieux, remarqua un jour la mère Beauchemin, qu'on ne voie plus notre quêteux.

— Il sera allé donner un coup de poche dans le nord, répondit indifféremment Didace.

— Ça m'étonnerait, reprit Mathilde. Il n'a pas coutume de s'éloigner. J'ai peur qu'il soit malade, en quelque coin.

Et en faisant un effort de mémoire, elle compta bien cinq mois que Russe n'avait pas réclamé le pain, le beurre, tout ce qu'on lui remettait, à chaque visite.

— T'oublieras pas de t'en informer auprès du commerçant de Sainte-Anne, recommanda-t-elle à Marie-Amanda.

Mais le commerçant de Sainte-Anne ne savait rien du quêteux des Beauchemin.

*   *   *

Un matin d'avril, Didace Beauchemin, fit signe aux enfants de regarder par la fenêtre : une bande de canards noirs s'ébrouait dans une mare, en plein champ, non loin de la maison. Mieux que la première grive, l'arrivée des canards sauvages donnait le signal du printemps. Le même jour, Russe parut au grand soleil, marchant du pas égal, au milieu de la route, baluchon au dos, le teint frais, l'œil clair, en santé. Malade, lui ? Il avait passé un bon hiver, un bel hiver, en hivernement chez un habitant du Pot-au-Beurre.

Pendant deux jours ils discourut des choses et des gens qu'il avait observés dernièrement. Quand Mathilde Beauchemin le vit ramasser ses nippes, prêt à partir, elle prépara le gros pain rond, la motte de beurre salée et le paleron de jeune porc frais qu'elle avait fait cuire à son intention.

Russe, silencieux, suveillait ces préparatifs. Soudainement il demanda :

— C'est tout ?

— Mais oui, quoi ?

— Quoi ? Voilà cinq mois que je vous ai pas rendu visite : vous m'en devez cinq fois plus.

Didace Beauchemin trancha net :

— On ne te doit rien, Russe. Tu m'entends ?

Debout de tout son long, le quêteux, outragé, toisa tous les Beauchemin. Ce n'était pas pour la valeur des choses qu'il s'indignait, lui l'homme libre d'aller de maison en maison où l'on se ferait fête de lui donner davantage, mais pour l'offense qu'il ressentait jusque dans la moelle des os. Les Beauchemin, inquiets, suivaient le moindre de ses gestes. Allait-il se changer en jeteux de sort ? Dédaigneusement « le grand quêteux d'étoffe » prit l'offrande et la laissa tomber sur la table. Puis, fièrement, rechargeant le baluchon à son dos, il les flagella de toute sa grandeur :

— Vous vous en chercherez un bon quêteux comme moi !

Et il passa la porte.

4

prière

La mère Beauchemin, plus appesantie par un rude labeur que par l'âge, traînait son pas fatigué sur la route. Elle ne répondait pas aux signes d'amitié que lui adressait sa voisine, du fond de la maison en retrait. Bien avant l'heure du mois de Marie, elle allait, seule, prier à la croix du chemin, sans remarquer la beauté du jour qui finissait doucement et le blond soleil de mai qui étirait ses derniers rayons sur la plaine du Richelieu.

Dans son jeune temps la première chanson de l'eau, au printemps, l'éclosion d'une fleur, le firmament en feu avaient fait éclater en elle combien d'alléluias ! D'année en année, les cris d'allégresse s'étaient affaiblis en un écho si mince qu'elle ne l'entendait plus. Trop de fois le même soleil qui se couchait en fête, dépliant avec effet son éventail de couleurs, en signe de beau temps, avait, le lendemain, rôti la moisson, apporté la sécheresse, déchaîné quelque mauvais vent ou la grêle qui charriait des grêlons gros comme des billes, en ravageant ce qui était encore debout dans les champs.

Aussi marchait-elle sans joie, la mère Beauchemin, parmi les jeunes pousses qui dressaient leur tête vers le ciel. Tout occupée d'elle-même et des siens, elle préparait sa prière à la Vierge Marie. Ce n'était pas tant la reine des cieux, en pleine gloire, entourée des plus grands saints et assise à la droite du Père Tout Puissant, qui excitait sa dévotion. Aller se lamenter à elle lui aurait semblé un affront, en ce premier jour de mai, quand tout le monde catholique se réjouit et célèbre la grandeur de la Mère de Dieu. Mais avec Notre-Dame des Sept Douleurs, le cœur transpercé de sept glaives, affaissée en larmes au pied de la croix sur laquelle son divin Fils expire, dans l'abandon et les opprobres, elle se sentait à l'aise pour parler de son mal et exhaler la plainte d'une pauvre femme en peine :

« C'est pas rien, bonne Sainte Dame, tout ce que j'ai à vous dire. D'abord cette fatigue que je ressens de la tête aux pieds et qui me fait prendre en aversion mon entourage. Les choses qui étaient toute ma vie, voilà que depuis quelque temps non seulement je les regarde à regret, mais je suis pas loin de les haïr. Pour mieux dire, je suis sans-cœur à l'ouvrage. Peut-être parce que je prends de l'âge ou que la maladie me guette ? Pourtant il faudrait pour bien faire que je dure encore. Une vieille femme toute ridée, couleur de terre, et remplie de défauts comme moi embellirait pas votre Paradis et, à la maison, ils se passeraient pas aisément de moi. La plus petite, Alix, est dissipée et chétive ; elle fait pas deux pas sans appeler : maman, par ici, maman, par là ! Il y a aussi Éphrem, le jeune, presquement pris comme un homme et qui a que treize ans d'âge. Lui et son père sont pas toujours d'équerre, il s'en faut.

« C'est pas rien.

André Bergeron

"dans le frimas"

« Vous savez, bonne Sainte Dame, comme mon Didace était contraireux dans notre jeunesse. Rien qu'à lui dire : « Vas-y pas », mieux que ça, en le regardant d'une certaine façon, je pouvais lui faire franchir ciel et terre d'un seul bond. Et toujours prêt à aller en Cour. Pour deux pailles en croix, il aurait plaidé jusqu'à amen. En moi-même je me demandais parfois si le cœur de cet homme-là était pas semblable à une sorte de terre qu'on vient jamais à bout d'érocher en entier. Il s'est bien amendé avec les années, mais il lui reste encore du chemin avant d'arriver au terme de la perfection. On le sait bien, le meilleur des hommes... Ç'avancerait rien de parler contre : mieux vaut les accepter tels qu'ils sont.

« J'ai jamais connu, comme les autres femmes, le bienfait d'être reine et maîtresse dans la maison. Dès notre mariage, on est venu habiter chez ses parents à lui. Plus tard quand les vieux se sont donnés à nous, on a confondu les biens et on a encore demeuré tous ensemble. À l'heure que sa vieille grand-mère est sur le point de trépasser et que je commencerais à régner, Amable parle de se marier et d'emmener une étrangère. Je devrais pas dire : une étrangère. Alphonsine Ladouceur entrera chez nous comme la fille de la maison, mais c'est quand même tout un apprentissage à faire. Elle a goûté la vie de la ville. Qui nous dit qu'un jour ou l'autre elle regrettera pas le temps passé là-bas ?

« Et Marie-Amanda ? La meilleure fille au monde ! Celle-là j'en suis pas en peine, elle trouvera bien à se marier. Mais elle est pas gaie depuis que son Ludger est retourné naviguer. Il écrit pas souvent et ses lettres doivent pas parler parce qu'elle est pas sur le sens de rire. On dirait qu'elle aime son mal ; elle l'entretient et en a soin comme d'une fleur en pot.

33

« C'est pas rien.

« Ils vont tous venir tantôt vous trouver à leur tour. Écoutez-les, sainte Mère. S'ils ont à se plaindre de moi, tâchez que chacun fasse la part des choses. C'est pour eux que je vous prie. Pour moi, je vous demande pas la lune, juste un peu de repos dans mon cœur usé à force de se démener à gauche et à droite.

« Les voici qui approchent. Amable et Alphonsine se regardent dans les yeux. Après tout, ils ont bien le droit d'être heureux comme les autres. La petite et sa sœur se tiennent par le cou en riant. Je gage qu'Amanda aura reçu de bonnes nouvelles. Et le jeune marche avec son père. Voyons ! vont-ils recommencer à se chamailler ? Non, ils jouent tout bonnement. Tant mieux. Aidez-moi à veiller sur eux.

« Le temps se chagrine. Des courants blancs traînent dans le firmament et veulent dire qu'on ira pas loin sans pluie. Il nous en faudrait, mais une pluie raisonnable, pour que tout lève dans le bon temps.

« J'oubliais les grandes mers de mai. Qu'elles nous arrivent pas trop vite ! Il y a rien qui presse : la terre cherche à peine à se réchauffer.

« Le mois de Marie va commencer. Le chantre se prépare à donner le ton. C'est dommage que je puisse pas mêler ma voix aux autres pour chanter vos louanges. Dans le temps j'étais une chanteuse difficile à accoter ; je chantais tous les cantiques : **Prends ma couronne, je te la donne, Ave Maris Stella ;** je savais toutes les complaintes. Mais aujourd'hui, le petit filet de voix qui me reste n'ajouterait pas grand-chose à votre gloire, ô Marie, notre espérance à tous ».

5

une grosse noce

Après l'échange de leurs serments, dans le temps des fêtes, Amable et Alphonsine avaient entendu avec joie Didace Beauchemin annoncer : « La noce se fera entre les semailles et les récoltes. »

Le printemps avançait cependant et il n'était guère question de mariage à la maison. Marie-Amanda y faisait allusion mais les choses n'allaient pas plus loin.

Aussi Amable ne voyait pas d'un bon œil les semaines passer et Alphonsine se parer tout en neuf, sans que la date du grand jour fût arrêtée. Sous un air crâne, il cachait son inquiétude qu'il parvenait mal à dominer.

Une fois le coup d'eau et les grandes mers de mai traversés sans trop d'avaries, la terre ensemencée, Amable jugea le temps venu de parler. Mais comment aborder le sujet ? Mathilde Beauchemin avait bien défini son mari : un homme contraireux et pas facile d'accès.

Afin de se donner meilleure contenance, le jeune homme arracha un roseau et s'en fut sur le rivage où Didace Beauchemin achevait de réparer le quai. Son pas vigoureux sur les planches fit clapoter l'eau en des vagues courtes qui allèrent se briser contre les flancs de la chaloupe. Tout était calme. Un ciel tranquille se reflétait dans la rivière lisse et brillante. Un chaland que des pêcheurs descendaient à la cordelle, à la rive opposée, glissait sans bruit, devant les vaches en pâturage sur la commune. Figées sur la berge boueuse, elles négligeaient de s'abreuver, pour mieux contempler le cortège. Seule la pétarade d'un yacht, dans le lointain, déchirait le silence épais de ce midi de mai.

Ce qu'Amable avait à dire était bref et précis ; et la réponse du père fut aussi claire :

— Si tu veux parler de diviser le bien et de te grèyer une maison, je pourrais pas t'avantager dans le moment. Mais si vous êtes d'accord qu'on vive tous ensemble, t'as mon plein consentement. Il y a la chambre des étrangers qu'est là à rien faire, arrangez-vous avec. T'en parleras à Phonsine pour connaître son idée. Quant à la noce, elle se fera à la maison, vu que ta future est orpheline de père et de mère. Et rien n'y manquera, je t'en réponds.

Le père parlait encore, expliquant qu'il conviendrait de prévenir l'oncle Eusèbe, des États, mais Amable n'entendait rien. À grandes enjambées, il escaladait le talus pour aller au plus tôt convier Alphonsine à sa part de bonheur.

*   *   *

Les parents et les amis des alentours furent invités, directement au par commission, tandis que ceux qui demeuraient au loin, le furent par lettre, pour le mardi de la troisième semaine

36

de juin. Au dire de chacun, c'était une semaine propice par excellence aux réjouissances. La cueillette des fraises ne commanderait pas encore l'attention des femmes et des enfants et l'almanach prédisait une température belle et modérément chaude.

Jusqu'à la veille du mariage, la parure de la mariée défraya les conversations dans tout le voisinage. On jugeait Alphonsine extravagante de goût. Pousserait-elle la hardiesse jusqu'à porter la toilette à traîne et le voile ? Ou encore revêtirait-elle la robe de soie taffetas dont le frou-frou est d'un effet si riche à l'église, dans la grande allée ? Les questions détournées et insinuantes assaillaient Marie-Amanda , mais portée au silence par l'absence de Ludger, elle observait sans peine la plus grande réserve dans ses réponses.

Le matin des noces, dès l'aube, Alphonsine, qui n'avait plus sommeil, alla s'appuyer sur le rebord de la fenêtre. À travers la ramure d'un érable penché sur la maison, elle voyait le jour naître, radieux et nacré, au firmament allégé du manteau sombre de la nuit. Ah ! la belle journée ! Au creux d'une branche, un couple de moineaux sautillaient : le père s'affairait à nourrir les oiselets, tandis que la mère, toute tendresse, surveillait leurs premiers efforts d'envolée. Alphonsine s'attendrit à les regarder. Ainsi son tour arrivait de s'engager sur un chemin nouveau et étranger. Aux côtés d'Amable, franc compagnon, le voyage lui semblerait facile et les embûches même s'aboliraient de soi, du seul fait de sa présence. La rêverie l'aurait certes entraînée loin si une cousine, méticuleuse et craintive, ne lui eût rappelé de se hâter. « Déjà, » affirmait-elle, « on entendait le bruit des voitures que les hommes sortaient des remises, dans les environs. »

* * *

À dix heures sonnant, les mariés et leur suite revinrent de l'église. La parenté arrivait, en voiture légère, d'un peu partout. Il en vint de cinq lieues à la ronde : des oncles, des tantes et des cousins, germains et issus de germains, de toutes les sortes ; des vieux, des moins âgés et des tout jeunes ; des gros, des maigres ; des verbeux et des taciturnes ; des femmes plantureuses et d'autres si sèches que le moindre coup de vent les aurait jetées à terre. Tout le monde entourait le jeune couple et complimentait tant Amable de son bon goût que la mariée de sa robe de mousseline de soie d'un gris colombe qui faisait ressortir son teint de bouton de rose.

À peine revenue de l'église, Mathilde Beauchemin prit, seule, l'allée pierreuse qui mène au four à pain. Avant d'en ouvrir la porte, elle s'agenouilla et fit un grand signe de croix. S'il fallait que le cochonnet, le plat de résistance qu'elle avait préparé dans le secret, d'après une fameuse recette ancienne, fût immangeable ? Et le reste des mets cuits en charpie ? Mais non, tout était à souhait.

Aussitôt les voisines s'empressèrent de l'aider et transportèrent les plats dans le fournil et jusque dans l'appentis. Pour protéger leur tablier d'un blanc immaculé, garni d'une dentelle au crochet, elles passèrent un second tablier de fil foncé.

Pendant ce temps, Didace Beauchemins offrait aux hommes soit de la grosse bière, soit une rasade de son meilleur petit-blanc et Marie-Amanda servait aux femmes deux doigts d'un vin de pissenlit, mis à vieillarder depuis des années, un vin qui n'était pas du reginglard et qui coulait dans les verres comme de l'ambre liquide. Ce qui eut pour effet de rendre tout le monde en appétit et fort dispos à la gaieté.

On avait dressé la table dans toute la longueur de la cuisine. Sitôt que les mariés eurent pris les places d'honneur, chacun s'assit selon son rang et sa convenance, les notables occupant les hauts bouts.

En même temps qu'un fumet de fines herbes chatouillait l'odorat des convives, deux femmes apportaient avec effort le cochon de lait agenouillé sur de la ciboulette et du persil ; un cochonnet si gras, si doré que sa peau craquelante menaçait à tout instant de laisser échapper la farce avant le coup de couteau décisif. Douze poulettes engraissées aux petits soins, fort viandées et de belle prestance, avaient été sacrifiées, sans égard pour leurs promesses de ponte. Les vol-au-vent voisinaient avec les tourtières, les marinades escortaient les galantines et les rôtis jaunes comme de l'or. Il y avait des plats pour tous les goûts. Des sauces clairettes et d'autres, si épaisses, que le couteau y eût facilement tenu planté.

Quand les hôtes virent autant de mets, si bien apprêtés, auxquels ils feraient honneur, ils s'extasièrent tout haut sur un tel festin. Quelques-uns affirmèrent même que jamais, de mémoire d'homme, on n'avait vu fête semblable dans le rang de Sainte-Anne. Devant pareille appréciation, Didace Beauchemin se jugea grassement récompensé de son tracas et de sa dépense.

Trois tablées se succédèrent et il restait assez de vivres pour en régaler encore autant.

Deux heures plus tard, les femmes se mirent en frais de regarnir la table de desserts. Aux yeux des convives éblouis défilaient en procession les charlottes russes, les bagatelles, les blancs-mangers roulés en lions, les œufs à la neige saupoudrés de sucre rouge, les crèmes brûlées, vanillées, fouettées, les gâteaux enguirlandés de boules d'argent, les tartes à Lafayette, les pains de Savoie. Rien n'y manquait. Au bout trônait un immense plat de sucre du pays à la crème, agrémenté d'amandes de noix longues, qui épandait une douce lumière.

La mariée avait changé sa toilette de noces pour une robe de satin bleu faïence qui fit sensation. Une invitée, envieuse, profita de l'émoi pour palper entre deux doigts l'étoffe et s'assurer si elle était vraiment de qualité.

Amable n'était pas peu fier de sa femme. Il la promenait d'un groupe à l'autre, tout en renouant connaissance avec des cousins perdus de vue depuis longtemps.

— Nous deux, on est frérots, expliquait l'un. On est les enfants des deux frères mariés aux deux sœurs.

Les chansons à répondre se suivaient sans languir. Lentes à déclencher, elles allaient maintenant bon train. Prié de chanter, le chanteur de couplets s'était affaissé sur une chaise, dans l'attitude du complet découragement, comme si semblable invitation signifiait pour lui le pire des malheurs. Prostré, les yeux mi-clos, il s'était recueilli. Soudain il sortit de sa torpeur : ce ne fut d'abord qu'un frémissement des orteils, puis un mouvement plus accentué du pied droit, avant de devenir un plein accompagnement du genou et de la jambe. La voix du chanteur s'éleva, plaintive et triste, mais s'échauffant peu à peu à la chaleur des autres voix :

> *La belle qui vous a donné*
> *Les beaux souliers que vous portez ?*

Chacun reprenait à la volée :

> *La belle qui vous a donné*
> *Les beaux souliers que vous portez ?*

C'est mon amoureux
Quand je le vois j'ai le cœur à l'aise
C'est mon amoureux
Quand je le vois, j'ai le cœur heureux.

J'ai la jambe alerte, alerte
J'ai la jambe alerte.
J'ai un pied qui remue
Et l'autre qui fringue, fringue, fringue
J'ai un pied qui remue
L'autre me fringue un peu plus dru.

Et le chanteur continua à demander à la belle qui lui avait donné les beaux bas, la belle robe, les beaux gants, qu'elle portait.

Aussitôt la chanson finie, une jeune fille au parler gras, l'œil éveillé et les joues aussi rouges que des pommes fameuses, sans prendre le temps de souffler en entonna une autre :

Dans ce petit bois savez-vous ce qu'il y a ?
Il y a un p'tit âbre
Oh ! le plus beau des âbres !
L'âbre est dans le bois.
Ah ! ah ! ah ! savez-vous ce qu'il y a ?
Dans ce petit âbre savez-vous ce qu'il y a ?

Plus la chanson se prolongeait, plus on y prenait plaisir.

La seule ombre au tableau, c'était la présence des fils à Defroi, jeunes gens bruyants et querelleurs. Le maître avait dit : « Le jour des noces, la porte de ma maison est ouverte à deux battants pour tous ceux qui veulent nous visiter. » Jusqu'à présent tout s'était passé dans l'ordre, mais Didace y veillait.

Le ménétrier, retenu longtemps d'avance, arriva vers le soir. Après avoir sorti son violon, il salua à la ronde et se mit à accorder son instrument en faisant tant et tant de simagrées que les enfants s'enfuirent dehors pour rire plus à leur aise. On avait débarrassé le milieu de la place. Les beaux danseurs entrèrent en scène. Ceux qui possédaient le rythme de la danse à petit pas et qui savaient balancer leur compagnie du bout des doigts, en frappant le plancher du talon, faisaient envie aux vieux qui regrettaient leur jeune temps et rappelaient leurs prouesses d'alors. Un ancien alla dans le fond de la cuisine quérir l'aïeule et l'entraîna à danser deux pas de gigue, mais vite elle retourna à sa place.

Sur un coin de table, Mathilde Beauchemin étendit une couverture grise de laine du pays, pour accomoder les joueurs de cartes. Quatre vantards s'attablèrent à un tournoi de casino ; l'un d'eux, à chaque carte qu'il abattait, répétait la même phrase :

— Tu vas voir que je vas secouer le pommier.

Deux relèves le critiquaient à plaisir. Un groupe d'hommes âgés parlaient de politique sans s'emporter, la bonne chère leur ayant enlevé de l'ardeur à la discussion. Déjà les femmes songeant à la longue route à parcourir jetaient des regards inquiets à l'horloge.

Il était près de minuit quand les fils à Defroi commencèrent à se colleter. Éphrem chercha à les séparer, mais tous trois se trouvèrent enchevêtrés et trébuchèrent dans la boîte à bois qui céda sous leur poids. Il se répandit une poussière qui fit tousser toute l'assemblée.

Apeuré par le bruit, un enfant que sa mère, le dos tourné à l'assistance, allaitait modestement sous un châle, se mit à pousser des cris perçants.

Ce fut le signal du départ.

Tous convinrent cependant que ç'avait été une fort belle noce.

6

accord

Les jeunes veulent que j'te change, ma Gaillarde !

Et que j'te change
pour une automobile !
C'est pourtant vrai.

S'imaginent-ils qu'ils seront plus heureux
quand ils t'auront pas devant les yeux ?

Ils ont pour leur dire
que ça va vite, une automobile.

Comme si avec toé on restait en chemin !

J'me demande pourquoi c'te presse
qui les prend tout d'un coup.
Ç'a le corps plein d'plans,
c'est jeune, je comprends,
— ils vieilliront ben assez vite —

mais c'est pas une raison pour te jeter dehors
et pour me grèyer d'une machine.

On s'connaît ben, nous deux, hein ?
Si on s'connaît ben
depuis tant de temps qu'on vit ensemble !

J'pense à la fois
quand le p'tit est né
et qu'on était d'cérémonie.
Ah ! cré bateau !
on était faraud
pas rien qu'un peu
sur la concorde du dimanche.
Même les voisins nous regardaient aller
comme si on avait été
des étrangers.
S'il y avait eu moyen, t'aurais ri
d'les voir s'tortiller de jalousie.

Et quand la femme a été malade, là !
— j'pensais presquement qu'elle
                    en reviendrait pas —
on en a passé une vraie nuitée
c'te nuit-là, nous deux !
Avec ton cœur de cheval,
t'avais compris ça, toé,
qu'il fallait marcher ?
Au grand galop, tu t'en allais,
sur le chemin à moitié balisé,
quérir le docteur et le prêtre.

Et la fois de la fois qu'on a calé,
non, mais !
si on a rasé d'y rester !

Puis quand le vieux a trépassé,
qui c'est qui est allé le r'mener,
si c'est pas encore moé pis toé,
Gaillarde ?

Quand j'y pense
et que j'y repense,
j'aime autant pas y penser

Ouais ! Ils veulent que j'te change
pour une automobile.

Tu m'coûtes pas cher,
t'as pas d'licence
ni d'exigences :
un peu d'avoine et t'es réparée.
T'aimes pas les bebelles comme une auto.
Rien qu'un p'tit chapeau de paille
avec les oreilles qui dépassent,
l'été,
des grelots en masse,
l'hiver,
c'est assez pour toé.

Crever à tout bout de champ,
toé, comme une auto ?
T'as ben trop de cœur.

Quand t'as plus de souffle,
t'en trouves encore.

Nous deux, Gaillarde,
on crèvera
une fois pour toutes.
Mais pas de sitôt.

T'changer pour une auto ?

Jamais de la vie !
J'te changerais pas pour ben du monde,
et encore moins pour une machine.

"Ange, Marie-Ange..." André Berger

7

un malheur

Et ce fut l'été dans tout son accomplissement, l'été qui, par les journées venteuses, glissait son odeur de foin coupé jusque dans la maison.

Le jardin était en fête : déjà les iris avaient fait place aux pivoines ; depuis des semaines, les pensées montraient à tout venant leur visage de velours ; les passe-roses éclateraient à la prochaine ondée. Quant aux belles-de-nuit et aux saint-josephs, ils bordaient en se cachant les carrés du potager où avant long-temps Mathilde Beauchemin coucherait sur la terre les plants de tomates, afin d'en hâter la maturité.

À la tombée du soir, les femmes allaient ratisser un peu partout dans le jardin et admirer le progrès des fleurs, tant les humbles qui se tassaient dans l'ombre que les fières qui s'élan-çaient vers la lumière. Et oubliant la fatigue, portées par leur soupir, elles s'évadaient vers quelque autre jardin mystérieux, au pays du Rêve, que chacune emmurait dans le secret de son cœur.

La commune n'était plus qu'une nappe rutilante étendue le long du chenal pour le festin des yeux. Tous les bouquets rustiques passaient du matin au soir par la gamme des tons rougeâtres, depuis le violet-monseigneur jusqu'au plus pâle héliotrope.

À l'heure du midi, quand un clocher dans le lointain et quelque bon vent apportaient en cadeau les parfums du ciel et de la terre, on aurait cru voir la paix étendre son manteau solide et léger à la fois sur cette famille de paysans.

Tour à tour, après le maître qui occupait un bout de la table, ils vinrent s'asseoir sur les bancs de côté. Une place restait vide : celle du jeune Éphrem ; comme il était lent de sa nature et peu ponctuel, personne pour le moment ne s'inquiétait de son absence. Un seul sujet planait sur leurs discours : la terre, ce qu'elle donnerait, ce qu'on tirerait d'elle, et déjà le père Beauchemin et l'aîné calculaient mentalement le rendement du foin engrangé et de celui qui était encore en veilloches dans les champs. D'un appétit robuste, Didace avait piqué de sa fourchette quatre tranches de pain de ménage et n'avait pas encore entamé l'omelette au lard. Les femmes s'affairaient à servir les hommes, aussi bien l'engagé que les maîtres qui s'entretenaient sans paroles inutiles de ce qui les occupait.

Bien qu'elle ne fît part à qui que ce soit de son inquiétude, la mère Beauchemin n'était pas à l'aise. Un frisson la parcourait de la tête aux pieds et elle sentait que, malgré la grande chaleur, elle avait la chair de poule. À peine eut-elle mangé une lèche de pain qu'elle repoussa son assiette et s'en fut s'asseoir sur le seuil de la porte pour guetter les alentours. Éphrem n'arrivait pas. Il connaissait pourtant la sévérité de son père qui n'admettait aucun retard à table. Dans son cœur, elle inventait déjà mille raisons de le faire pardonner.

À la fin du repas, chacun dit ses grâces en particulier ; ils se levèrent de table, à leur gré, sans plus de cérémonies. Avant de regagner le haut de la terre, le grand Didace Beauchemin et Amable ayant fumé leur pipe s'étendirent sur l'herbe, le temps de refaire des forces. Alphonsine et Marie-Amanda nettoyaient les plats et rangeaient le manger en s'entre-disant des riens. Leurs paroles basses faisaient un bruit de bourdon qui endormit les hommes. Après une courte sieste, ils se remirent sur pied et le père chercha Éphrem du regard. Sans même attendre une question, la mère s'empressa de dire qu'il avait dû prendre un détour et dîner chez quelqu'un du voisinage. Dès qu'il arriverait, elle l'enverrait rejoindre les autres au champ.

Quand ils furent à perte de vue, elle courut en cachette s'enquérir ici et là de son Éphrem. Personne ne l'avait vu, sauf un jeune qui était sur le bord de l'eau « quant et lui », vers les onze heures.

Mais l'angoisse au cœur, elle aurait voulu ménager la sérénité des autres. Elle disait tout haut : « Ah ! il va revenir ! » tandis que la certitude de ne jamais le revoir vivant tissait un réseau tenace autour de sa pensée. De ses mauvais yeux elle fouillait la route poussiéreuse jusque dans les moindres replis. La vérité ne commença pas de se faire jour peu à peu dans son esprit : elle frappa comme la foudre. Le petit canot de chasse, le canot si versant était là, échoué, qui se berçait sans amarres, parmi les joncs au soleil. Sur l'allée solitaire qui mène à la maison, la pauvre femme défaillait de chagrin, mais à grand renfort de volonté, elle parvint à demander de l'aide.

51

Les uns après les autres, ceux du rang de Sainte-Anne qui eurent vent de la nouvelle accoururent au bord du chenal. Chose curieuse ! de tous ces riverains qui étaient nés pour ainsi dire sur l'eau et qui voyageaient, chaque jour, dans des embarcations périlleuses, aucun ne savait nager. En silence, à l'aide de gaffes et d'hameçons, ils inspectèrent le fond de la rivière. Les anciens qui connaissaient le prix de la vie suivaient des yeux la course du pain bénit et s'attendrissaient sur cette jeunesse fauchée dans sa fleur quand un juron formidable partit de la bouche du maître : on venait de trouver le corps. Ce fut la réaction du paysan devant la mort de son enfant.

Ces hommes peu loquaces se mirent à parler tous à la fois, chacun cherchant une explication plausible à la noyade ; les uns optaient pour qu'Éphrem, en cherchant à planter sa perche, eût passé par-dessus bord, d'autres voulaient tout bonnement qu'il eût tombé à l'eau dans le déclin où l'écore est traître.

L'un d'eux hala le noyé jusqu'à l'échancrure de la grève, en ayant bien soin de lui laisser les pieds dans la rivière jusqu'à l'arrivée du coroner qu'on courut avertir.

La vie ne serait pas la vie si un malheur était triste du commencement à la fin et une joie gaie, d'un bout à l'autre. Au milieu d'un bonheur, le gnome du chagrin trouve le tour de sonner le tocsin et le diablotin du rire veille au chevet de la peine pour mettre en branle la folie de ses grelots. Les voisines arrivèrent aussitôt sur la butte. Elles venaient s'associer à la peine de leurs amies. Mais une grosse paysanne qui avait facilement la larme à l'œil montrait tant de zèle à sympathiser, elle sanglotait si fort que le curé venu en toute hâte pour apporter ses consolations à la famille, se méprit et entreprit de l'exhorter à la résignation, pendant que la mère affligée, ses vieilles mains noueuses abandonnées sur ses genoux, refoulait seule dans un coin l'amertume de ses larmes.

L'aïeule faisait pitié. On aurait dit que les sillons de son visage s'étaient creusés sous le soc du malheur. Elle s'informa de l'heure et pria Alphonsine d'arrêter la pendule selon l'ancienne coutume : elle voulait poser un jalon pour savoir plus tard où repérer sa peine. Il y en avait eu des morts et des morts dans sa vie : elle les repassait tous. La prochaine à entreprendre le grand voyage aurait dû être elle-même plutôt que ce jeune à peine au monde. Mais non ! Dieu décide tout seul.

Un groupe approchait avec le corps, des terriens en habit de travail lui faisaient cortège. Vitement on entraîna Mathilde Beauchemin dans une autre pièce. Un enfant pieds nus vint sans dire un mot lui apporter un bouquet de fleurs-de-grenouille et de lys d'eau. Instinctivement elle repoussa ces fleurs dont les longues tiges avaient peut-être retenu son fils captif au fond de l'eau ; mais elle attira l'enfant et se mit à pleurer doucement.

Une femme émit l'idée que le défunt souffrait sans doute de quelque maladie de cœur et qu'il aurait tout aussi bien succombé à une syncope, sur la terre que sur l'eau. Ceci parut fort sensé à la plupart des assistants. Ce que la mère savait, elle, c'est qu'il lui faudrait, à même sa personne, se reconstruire une autre personne et s'habituer à vivre sans Éphrem. Répartir son affection sur les autres enfants, ainsi que plusieurs l'y engageaient ? Ah ! non ! Mort comme vivant, Éphrem aurait toujours sa place.

Quelqu'un s'occupa de fermer les contrevents hormis ceux de la cuisine. Mais le malheur était quand même entré dans la maison.

8

deux voisins plaident

Parmi ses meilleurs souvenirs de jeunesse, Didace en chérissait un plus tendrement : c'était d'avoir entendu Thibault dit les-grands-pieds adresser la parole. À la moindre occasion, il ne manquait pas d'arborer cette réminiscence comme un drapeau qui eût jeté sur lui l'ombre d'un grand prestige :

— Ah ! mes vieux, si vous aviez été là ! Dès qu'un orateur élevait tant soit peu la voix, Thibault n'en faisait qu'une bouchée !

Autrefois, dans le bon temps des assemblées contradictoires, Didace entreprenait joyeusement, le dimanche, trois, quatre lieues de voiture pour assister à une joute de discours sur la plate-forme. Et quand les adversaires en jeu étaient un paysan et un galant des villes, son plaisir s'en doublait d'autant.

— Mes amis, disait précieusement le citadin, allez-vous élire un député aux mains calleuses ?

— Vous êtes témoins, messieurs les habitants, qu'il nous traite de mains galeuses, reprenait le paysan feignant la plus grande indignation.

— Un homme, continuait le citadin, tout juste bon à mener les bœufs sur la charrue...

— C'est une bonne chose qu'un homme sache mener les bœufs, parce que mon adversaire, lui, les attellerait par le mauvais bout.

L'assemblée se tordait de rire. Plus l'homme des villes semblait mépriser le paysan, plus l'homme des champs accordait de déférence à son semblable.

* * *

Hélas ! ce temps-là n'était plus. Didace Beauchemin en gardait la nostalgie. Il se rabattait sur les procès ; mais même les effets de toge savamment rejetée sur l'épaule, les phrases ronflantes et l'enflure de la voix ne l'en consolaient que petitement.

Cependant, dès qu'un terme des assises criminelles commençait, il trouvait mille prétextes pour se rendre à Sorel.

* * *

Un jour, Alix revint tout en larmes à la maison :

— Mon doux ! quoi c'est qu'il y a encore ? demanda Mathilde, découragée.

— César est mort. Quelqu'un a cassé le « reinqué » à notre chien.

Didace Beauchemin sortit, les yeux en feu.

Le chien gisait au milieu du chemin. Didace le tira sur l'herbe, lui prit la patte. Il n'y avait rien à faire.

— Pauvre bête ! soupira Mathilde, pendant qu'Alix redoublait de chagrin.

Didace savait à quoi s'en tenir. César n'avait qu'un défaut, mais un grand : il ne pouvait s'empêcher, à l'heure de la traite, d'aller reconduire les vaches du voisin. On avait essayé par tous les moyens de l'en corriger, nul n'y avait réussi.

— Ça se passera pas de même, dit-il tout haut en prenant le chemin qui mène chez Pierre-Côme Provençal.

— Tu vas me payer mon chien, dit-il à Côme.

— Te payer ton chien, dit l'autre ? Tu troubles.

— Écoute, Côme, je veux pas te faire de misère, mais tu sais que mon chien, c'était un chien de première classe, un chien de garde, un chien de maison, puis un chien à rats, et un chien de bonne race.

— On la connaît la bonne race de ton chien, reprit Côme en lui éclatant de rire au nez.

Didace vit rouge :

— Puisque c'est de même, je te traînerai en cour.

— Comme tu voudras, répondit le voisin, indifférent.

*   *   *

Didace ne traîna pas son voisin aux assises criminelles, ni même en cour du banc du roi, mais simplement devant le juge de paix. Au jour dit, tous les amis du Chenal du Moine occupaient les premières places, les uns prenant le parti qui de Côme, qui de Didace, les autres se tenaient cois, attendant sagement la tournure des choses.

Les avocats s'agitaient, consultaient le code ou allaient d'un air docte dire secrètement deux mots à leur client, dans le creux de l'oreille.

*   *   *

L'interrogatoire commence. Pierre-Côme témoigne. Son avocat tente de l'enserrer dans un réseau de phrases subtiles pour lui faire dire qu'il n'a pas eu connaissance de la mort du chien. Mais Côme s'impatiente et éclate :

— C'est pas ni çi, ni ça. C'est moé qui a tué le chien à Didace. Mais il faut qu'il me le prouve.

C'est au tour de Didace à rendre témoignage. Son avocat jubile et se frotte les mains. La cause est excellente. L'intimé s'est-il fourvoyé en avouant de lui-même avoir tué le chien ?

— Votre chien, monsieur Beauchemin, était-ce un chien de grande valeur ?

— C'était un bon chien, se contente de répondre Didace.

— Oui, mais était-ce...

Et les questions entortillées pour grossir la valeur du chien clouent Didace au pilori. Il a juré sur les saints Évangiles de dire la vérité. Et pour lui, la vérité c'est la vérité.

À la fin, il tonne à toute voix :

— Mon chien, il valait rien. Seulement je veux que Côme me le paye.

Et tandis que les deux avocats s'évertuent à plaider la cause, Didace et Côme sortent du palais de justice, bras dessus, bras dessous. Compères, compagnons, ils se rendent à l'auberge voisine où sur certain point ils s'entendent à merveille.

9
vers l'automne

Le grand Didace Beauchemin reprocha doucement à Alix :

— Pas comme ça, ma fille. T'enlèves tout le taillant de la hache.

Autrefois il eût gourmandé la petite en la voyant s'exercer à fendre du bois sur l'ébuard, dans un coin de la remise. Depuis que le malheur était entré dans la maison, la voix du maître avait perdu de son aigreur et les angles de son caractère s'étaient arrondis, pour ainsi dire, au frottement du chagrin. Comme le vin, Didace s'abonnissait en vieillissant.

Rarement rentrait-il aussi tôt. Seule la brunante le ramenait à la maison, vaincu par la fatigue, tassé de jour en jour et enfoncé dans la mélancolie. Chacun redoutait son retour. Mathilde Beauchemin surtout. La tristesse de Didace l'effrayait plus que ses violentes colères d'autrefois. Elle avait beau l'exhorter à de menues distractions, rien ne le tentait. Ce n'était pas naturel, songeait-elle, qu'un homme prît ainsi le pli de la douleur. Elle-même, depuis la mort d'Éphrem, n'avait-elle pas une roche attachée au cœur, sans que rien ne transpirât au dehors ?

En entendant parler son mari, ce soir-là, elle jugea qu'il était temps de lui venir en aide.

Comme il achevait de manger une trempette, elle lui dit :

— Jacob Salvail te fait demander sans faute.

Elle parlait d'un ton dégagé, sans paraître attacher de prix au message, sachant bien que si elle insistait, Didace renoncerait à l'idée de se rendre chez le voisin. Les hommes, à l'ordinaire, s'y réunissaient à la veillée pour discuter des personnes et des choses. Quand elle le vit en route, un soupir d'aise lui échappa.

*   *   *

L'été touchait à sa fin. Où trouver la verdure des mois passés ? Déjà les ardeurs du soleil l'avaient atteinte. La pluie redonnait parfois aux bois et aux champs un semblant de résurrection mais ils reprenaient vite leur couleur élavée, à l'approche de l'automne.

En haut de la berge un yacht sur le flanc montrait sa quille blessée. À côté des canots de chasse et des petits bacs à la renverse, rajeunis par la peinture, les rets et les verveux attendaient leur tour d'être remmaillés et goudronnés. La saison de la chasse approchait. Le temps était venu où tout bon chasseur vérifie ses lignes à canard, ses mitasses, ses viroles. Après un premier voyage d'exploration, à la recherche des canards domestiques et leur couvée soigneusement marqués à la patte et lâchés à la rivière de bonne heure au printemps, les chasseurs retournaient les ramasser dans les baies. De préférence, par une journée sombre et peu venteuse qui invite les canards à voyager sur l'eau tandis que le gros soleil et la grande chaleur les poussent

60

plutôt à se réfugier sur une butte ou à l'abri, parmi les joncs. Par précaution, chaque chasseur avait planté la branche de saule qui signait la prise de possession de la mare où il installerait son affût.

Didace Beauchemin avait assisté sans intérêt à des préparatifs qui autrefois le passionnaient. La chasse n'avait plus le même attrait pour lui et cette année, plus que jamais, il dédaignerait de faire le coup de fusil. Sans une parole, il prit place au milieu des voisins.

Peu après une bande de canards volant en triangle traversa le ciel à portée de fusil. Tous accompagnèrent des yeux le volier et le suivirent dans sa course jusqu'à perte de vue. On présuma que les canards se jetteraient dans la baie de Lavallière. Le fils de Grégoire Latraverse y avait son affût. Plusieurs l'envièrent autant que s'ils eussent vu son canot calé par la surcharge du gibier.

Bientôt les histoires de chasse allèrent leur train.

Un ancien racontait pour la vingtième ou pour la centième fois l'aventure de sa jeunesse. On l'écoutait patiemment, sachant qu'à chaque fois il apportait à l'histoire une variation nouvelle :

« C't'année-là, l'eau était tellement haute que les canards sauvages venaient manger partout dans les baies. Un peu plus, ils seraient venus manger dans le creux de not' main. Et on était encore éloignés du premier de septembre. Une bonne fois, je me décide à dégraisser mon fusil. Mes vieux ! ça tombait comme des mouches : des pluviers dorés, de la sarcelle, des français, des noirs, des cous rouges, des becs bleus, tout ce qu'il y a de mieux.

« En arrivant à la maison, avant de cogner un somme, je dis à ma vieille : Y a pas d'soin, tu peux t'en faire cuire si ça te tente. Pas un vivant va venir sentir par icite aujourd'hui. Y faut vous dire qu'y faisait un air de vent et que l'eau tombait par paquets. Trois gouttes au siau.

« Je choisis les deux plus beaux noirs. Et aussitôt la femme se met à les plumer. Avec ça qu'elle savait le tour de se laisser traîner le pouce dans le duvet. Mais la v'la qui commence à se tourmenter pour savoir si elle devait les faire cuire à la daube ou en ragoût. Quant à moé, ça me faisait ni chaud, ni fret, parce que je mange rien de ce qui porte plume. Ça m'est contraire sous tous rapports.

« Vers midi, ça toque à la porte. À moitié endormi, j'vas répondre sans méfiance. Qui c'est qu'il y avait là ?

Un jeune, pour le plaisir de l'interrompre, fit la réponse :

— Trois canards déployant leurs ailes.

L'ancien s'emporta :

— Laisse-moé parler tranquille ou ben j'parle p'us.

Mais il s'empressa de continuer :

« Ah ! mes vieux ! il y avait là le garde-chasse en personne. Trempé jusqu'aux os, la face rouge comme une forsure. Son ciré dégouttait. On le reçoit poliment. Je le fais asseoir. Et j'attends. Y parlait de rien. J'étais pas à mon aise, vu que les plumats séchaient sous le poêle et que le fricot mijotait dans le chaudron. J'vous mens pas, il nous venait des odeurs, par bourrées, qui étaient pas de la poison.

« À propos... commença le garde-chasse.

« À propos, que je dis, sans le laisser finir, vous prendriez ben un p'tit quèque chose pour vous mettre en train ?

62

« Et j'y sers un verre de petit-blanc, un vrai, pour le saluer. Et un autre, comme de raison, pour pas le laisser partir rien que sur une patte. J'me disais : « Avec celui-là, il verra pas le soleil se coucher à soir. » Mais au lieu de s'en aller, il continuait à fumer et à berlander. Il parlait de toutes sortes d'affaires, excepté de chasse.

« Venez prendre une bouchée, dit ma vieille. Il a tonné tantôt et ç'a m'a donné la faim. Le tonnerre, ça affame. Rien de pire. J'ai justement un fricot de lièvre à vous offrir, qu'elle dit en coquant de l'œil de mon côté.

« On se met à table. Mais moé qui vous parle et qui mangeais rien de ce qui porte plume, j'étais pris comme un renard au piège. La femme dresse le fricot et nous en sert des platées à nous faire crever. J'avais beau prétendre pas avoir faim, tous les deux me faisaient signe de manger.

« Donne-moé rien qu'une lichette de sauce, que je disais à la femme. Mais la démonne faisait semblant de pas comprendre :

« Fais pas le fou, mange, mange !

« Pas besoin de vous dire que j'ai pas vidé mon assiette jusqu'au fond. Le garde-chasse finit par partir. Encore sur le seuil de la porte, il nous remerciait, la bouche fendue d'un travers à l'autre de la face, en s'excusant de nous avoir causé du trouble.

— Y a pas d'offense, que j'réponds, en riant plus fort que lui, à mon tour.

« Le samedi suivant, je m'adonnais à passer par le Petit Fort quand je rencontre une connaissance qui me dit : Paraît que tu manges de ce qui porte plume, à c't'heure ?

— Qui c'est qui t'a parlé de ça ? que je demande.

« Devinez qui ? Mes vieux ! devinez qui ! Le garde-chasse ! Et par-dessus le marché, y avait conté devant toute la compagnie, à l'hôtel, que si jamais j'me vantais de pas manger rien de ce qui porte plume, il me ferait payer l'amende. »

Et au seul plaisir d'avoir raconté l'histoire, le vieux riait à s'en tenir les côtes. Les jeunes s'amusaient à le faire endêver.

— C'est-ti l'automne que vous aviez tué rien que des sourds ?

— J'vas vous en faire des sourds su' la caboche, mes drôles.

— Du lièvre à deux pattes, il m'est arrivé d'en tirer, disait l'un.

— Ah ! c'est pour ça, je suppose, que tu nattes tes mitasses ?

— Des fois, par miracle, que la loi changerait. Il faut se tenir prêt.

Ils se taquinaient sans apporter le moindrement de malice à leurs propos.

Didace ne disait rien. Il regardait autour de lui comme s'il voyait les choses pour la première fois. Le soleil descendait lente-ment en arrière de l'île de Grâce. Le Grand Peintre ne ménageait pas les couleurs ; tout son ciel en était irisé. Une nuée d'oiseaux tournaient en rond au-dessus de l'île Pelote. À la rivière dont il connaissait les moindres méandres, le poisson en jeu sautait à tout moment, et la berge éventrée montrait une terre bleue et grasse, prometteuse d'abondantes récoltes.

Bientôt une couvée de jeunes canards abordèrent sur la grève. La cane, au train fin, se hâtait de les rejoindre. Didace tira de sa poche quelques grains que les canetons s'empressèrent de picorer. Soudain il s'amusa à imiter le sifflement du jars, puis il écouta. De tous les parcs à canards environnants, les canes répondirent à l'appel :

— Coin, coin, coin...

Jamais chant plus doux n'avait caressé l'oreille du chasseur.

Ses compagnons s'entretenaient toujours de la chasse.

— J'dis pas que j'irai pas coucher aux noirs, un de ces soirs, leur annonça-t-il.

Chacun s'empressa de lui offrir une place dans son canot.

Didace reprit le chemin de la maison, le cœur plus allège. En arrivant, sous le prétexte futile qu'on avait laissé un outil traîner dans le jardin, il se mit à bourasser.

Mathilde Beauchemin le regardait, attendrie ; un coin de son tablier but à la dérobée une larme qui ne voulait pas tomber.

Dieu merci ! Didace avait retrouvé son naturel.

10
l'ange à defroi

Là-bas dans les terres basses, au bout du chemin herbu qui meurt à la lisère du bois, vivait un homme tout différent des autres. Entouré des plus humbles, il ne connaissait pas l'humilité de cœur. Grand de taille, les épaules renversées, le corps raidi d'orgueil, il portait la fierté comme un roi la pourpre, et son regard altier, planant au-dessus des choses, semblait régner sur quelque empire secret.

Dès la jeune aube, avant même qu'une barre de clarté ait déchiré l'épaisseur de la nuit, un commandement intérieur lui enjoignait de se lever et d'accueillir le jour. Sur le seuil de la porte, il humait l'air à grandes goulées, il examinait le temps en caressant sa barbe rousse, soyeuse, puis satisfait, il rentrait s'agenouiller auprès du poêle pour faire ses dévotions.

À le voir marcher à pleines foulées, la tête haute, au cœur de la grand-route, le long des terres d'autrui, on eût dit qu'il possédait tout, lui qui n'avait pas de biens.

De son nom Godefroi, on avait fait Defroi ; c'est ainsi qu'on le nommait à des lieues à la ronde. Plus pauvre d'argent ne s'était jamais vu ; et plus content non plus. « Quoi ! » disait-il, « la terre était là peu avarde de ses dons, la rivière prodiguait le poisson, et le ciel, les oiseaux. Pourquoi s'embarrasser d'argent ? » Dans l'étable, quelques poules, un jeu de canards et le goret d'usage constituaient le meilleur de son avoir. Le tas de merisier cordé le long de la maison n'était pas fort, mais les branchages abondaient dans les alentours et les garçons, au printemps, halaient le bois de marée.

Sur un talus, la chaumière, tout en élévation pour parer aux inondations, ressemblait à un oiseau haut sur patte. On y accédait par de mauvaises marches et un perron étroit. N'étaient les trois chiens à rats, en poursuite dans les coins, à première vue on eût pu la croire inhabitée. Cependant au mur trônait le fusil, fourbi, toujours bellement entretenu. Defroi était si passionné de la chasse qu'il se serait privé de nourriture au profit de ses canards dressés.

L'hiver le voyait à peine au dehors, juste le temps d'entretenir dans la glace le trou où il s'approvisionnait d'eau. Mais au printemps, dès la première grive, il sortait de sa ouache, en santé, prêt à chasser le rat musqué.

Au besoin, il partait, paqueton au dos. Les voisins, en le voyant prendre la route, s'entredisaient :

— Apparence que Defroi se donne à matin.

De fait, il entrait comme manœuvre chez quelque fermier du voisinage qui, pour prix de son labeur, lui remettait des cartouches, des vêtements ou ce qu'il lui manquait. Chacun, connaissant son penchant contraire à l'argent, se gardait bien de le récompenser autrement qu'en nature.

Aux jours de grande joie, on l'entendait pousser des cris étranges et tirer du fusil dans le ciel libre. Ce qui faisait dire aux uns qu'un sang sauvage lui courait dans les veines ; les anciens eux, prétendaient qu'il venait en droite ligne des pirates espagnols. Mais le mystère de son ascendance n'inquiétait personne et aucun ne redoutait Defroi.

Ses fils ne lui ressemblaient pas. Noirs, chétifs, peureux comme des lièvres et maraudeurs en plus, ils auraient troqué leur âme au diable contre un écu sonnant. Mais sa femme, en mourant, lui avait donné une fille pareille à lui, une fille fière, avec la blondeur du soleil en jeu sur l'eau de printemps, et des yeux du bleu des violettes surprises par l'aurore. Quand Defroi vit cette fleur miraculeuse venue parmi les herbres grossières, il ne trouva qu'un nom digne d'elle : Ange, Marie-Ange.

Dès qu'elle eut l'âge de connaissance, il lui apprit trois choses : croire en Dieu, craindre l'herbe écartante et mépriser l'argent. Il lui expliquait tout selon la simplicité de son cœur, avec ses mots à lui ; et sortant de sa poche un petit crucifix d'étain qu'il nommait « sacrifix », il apprenait à l'enfant l'histoire de son Dieu mort en croix.

Non loin de la maison, le bois était épais et le marais profond. De peur de la voir s'y enliser ou s'y écarter, il enseigna à Marie-Ange la malice de l'herbe écartante. Sitôt que les petits enfants seuls passent là où elle pousse, la mauvaise herbe leur monte aux yeux, les aveugle, et plus jamais ils ne retrouvent le chemin de la maison.

C'était pitié de voir le géant qui mangeait comme un ogre s'adoucir devant la petite et lui préparer des mouillettes menues. Quand il était pris à démêler l'épaisse chevelure, il tâchait patiemment de ne pas tirer fort.

— Regardez-moé c'te crinière d'or, jetait-il fièrement à la ronde.

Mais les garçons, jaloux, la baptisaient : tignasse.

Et Marie-Ange grandit dans la pauvreté et la joie jusqu'à ce qu'elle eût seize ans. Un midi, en allant comme à l'ordinaire puiser l'eau à la rivière, elle vit, dans une embarcation à la dérive, un jeune étranger qui lui souriait. Sous la caresse du chaud regard, elle rougit et, sur le chemin du retour, il lui sembla que les oiseaux chantaient un chant nouveau et que le vert du feuillage s'était soudainement attendri.

À partir de ce jour, toutes les choses changèrent. Au premier moment libre, Marie-Ange accourait sur la berge. Là, inerte, ses longs cheveux étalés en parure, à la longue journée elle regardait passer l'eau. Le beau jeune homme qui lui avait souri occupait sa pensée. Pourquoi ne revenait-il pas ? Peu à peu, elle sentait s'appesantir, sur ses épaules en haillons, la honte de l'indigence. Porterait-elle jamais la soie, les tissus doux, la dentelle que revêtent les filles riches ?

Par ouï-dire, elle savait que l'argent se gagnait facilement tout près, à la chasse aux grenouilles. En l'absence de Defroi, à la nuit tombante, elle partit mal vêtue, armée d'un gourdin, d'une poche et gagna le marais. Beau temps, mauvais temps, il en fut ainsi jusqu'à ce que Defroi reparût.

Mais bientôt un point qui la forçait à tousser transperça Marie-Ange ; elle ne s'en plaignit pas, pensant que de la mélasse chaude, du vinaige et gros comme une noix de beurre la guériraient sûrement ; peut-être qu'un peu de pressis la renforcirait. Cependant, la toux sèche persista.

70

Dur à son corps, Defroi n'en fit pas de cas, tant qu'il ne vit pas sa fille vomir le sang. Rongé d'inquiétude, il s'en fut quérir le docteur qui eut tôt fait de condamner la petite. Dès lors, Defroi n'achevait pas de se « donner », afin de procurer des douceurs à sa fille. Comme il ne se fiait pas aux garçons, rudes et sans précaution, il amenait la malade aux récoltes. Au beau milieu du champ, tout l'été, on l'encanta dans des oreillers, parmi le foin jaloux de sa chevelure blonde. Ceux qui la voyaient, pure et belle, nimbée d'or comme les saints du Ciel, ne la nommaient plus autrement que l'Ange à Defroi. Avec l'ultime illusion de ceux qui vont mourir, elle rassurait chacun en disant : Ça sera rien.

*   *   *

À l'automne, le temps de la maladie fut accompli.

Un matin, à l'aube, Defroi qui veillait sa fille, perçut un bruit étrange : le glouglou d'une bouteille qui se vide. La mort avait passé et Marie-Ange n'était plus de ce monde.

Quand les trois fils, noirs, chétifs, peureux comme des lièvres et maraudeurs en plus, virent Marie-Ange endormie à jamais, fanées les violettes de ses yeux, terni l'or de sa chevelure, ils s'approchèrent de Defroi et, d'un cœur lâche et sournois, ils abordèrent leurs tristes racontages. Ils ne disaient pas : notre sœur, mais : votre fille, choisissant d'instinct les mots qui peineraient davantage leur père. Du revers de la main, Defroi les fit taire tous les trois et dès les premiers mots.

*   *   *

Le surlendemain, on porta la belle morte en terre.

71

Une seule voiture légère derrière le corbillard. Au bout de l'humble cortège venait Defroi, figé dans le malheur. Une dernière fois, il passa la tête haute. Le pantalon retroussé sur ses jarrets solides, il suivait nu-pieds, enfonçant dans la vase au-delà de la cheville. Et accrochées à son cou, ses bottines du dimanche, nouées par les lacets, frappaient en cadence sur son vieux cœur meurtri.

Quand, pelletée par pelletée, le sable eut achevé de recouvrir la morte, l'homme hurla comme un loup.

Et depuis jamais on ne le vit, au cœur de la grand-route, marcher à pleines foulées et porter la fierté comme un roi la pourpre, mais honteux, à la dérobée, il prenait les chemins creux, « mal marchants », solitaires, que seules les bêtes recherchent et son regard comme rivé à la terre qui garde pour toujours son Ange bien-aimée.

11

la visite
du garde-chasse

Sans en dire un mot à personne, Didace prit dans la huche un gros « chignon » de pain dont il enleva la mie d'un seul coup de canif, en rond ; il y pressa une briquette de lard salé, puis replaça la mie. Et il partit à la voile vers la petite Îlette où il chasserait en cachette, à l'eau haute, avant la débâcle.

Mais à peine installé sous le prélart de chasse, il vit le garde-chasse arriver à lui.

— Quoi c'est que vous faites dans ce bout-ci, père Didace ?

— Comme tu vois, répondit Didace sans chercher à déguiser son intention.

Le garde-chasse, qui avait de l'amitié pour Didace Beauchemin, lui conseilla :

— Je vous en prie, monsieur Beauchemin, allez-vous-en donc à la maison. Vous êtes pas d'un âge à chasser au fret de même.

Les glaces peuvent partir d'un moment à l'autre et vous allez périr.

— T'as p't'être raison, Tit-quienne, répondit Didace, songeur.

— À part ça, vous chassez en temps défendu. Vous vous exposez à payer l'amende, le diable et son train. Puis votre fusil, saisi...

— ...Oui... oui... mon fusil saisi, répétait distraitement Didace.

Mais depuis un moment, il n'écoutait plus. L'œil rond sous d'épais sourcils embroussaillés, il était uniquement occupé à suivre une bande de canards sauvages qui volaient vers sa cache.

— Baisse-toé, Tit-quienne, dit-il à mi-voix.

Instinctivement le garde-chasse, un ancien chasseur, s'écrasa au fond du canot. Le père Didace eut juste le temps d'épauler son fusil. Pan ! pan ! six beaux noirs tombèrent dans ses plants.

Et Didace reprit la conversation:

— Tu disais, Tit-quienne ?

12

le coup d'eau

Aussi longtemps que des chemins durs et lisses leur permirent de voyager raisonnablement, les paysans du Chenal du Moine ne se plaignirent pas de l'hiver. Mais dès que les balises roussies s'inclinèrent vers la terre et que la neige, effritée en chandelle, commença à grisonner, ils furent pris de langueur. Les jeunes surtout guettaient avec avidité les signes du printemps.

Comme si le salut dût venir de là, à tout moment ils allaient regarder la commune, toile bise déployée à l'infini qui, dans le lointain, se confondait avec le ciel cendré qu'un soleil pâle n'animait même pas. Quand donc rajeunirait-elle en une plaine vivante aux joncs chevelus ondoyant à tous les vents ?

Par un matin venteux, la débâcle éclata et le fleuve délivré, dans sa fierté de s'unir bientôt à l'océan, déborda de ses rivières, de ses petits chenaux et même des rigolets.

Le chenal avait escaladé la berge jusqu'au chemin. Ce soir-là, les Beauchemin veillaient paisiblement à la maison, en com-

75

pagnie du jeune Odilon Provençal, leur proche voisin. Confiants et inquiets à la fois. Ne verraient-ils pas bientôt, par maintes déchirures, la terre nue palpiter de nouveau ? Avant longtemps n'accueilleraient-ils pas du regard le passage familier des poissonniers qui voyagent sur l'eau jusqu'aux neiges et qui rapportent de partout des nouvelles si plaisantes à entendre pour qui en est privé depuis longtemps ? Mais conscients de l'approche du coup d'eau, ils craignaient ses méfaits. Depuis le matin, la pluie tombait sans répit, droite et drue. Vers le soir, un mauvais vent s'éleva et les liards gémirent autour de la maison.

Pour tromper l'impatience des siens, Didace entreprit une partie de cartes avec l'aîné de ses enfants, l'engagé et le voisin, tandis que Mathilde et l'aïeule s'employaient à rentoiler des draps. Au bout de la table, Alix apprenait ses leçons, mais l'esprit ailleurs, à tout propos elle plaçait son mot dans la conversation. À peine Odilon s'était-il informé de Marie-Amanda que la petite répondait :

— Elle est en haut avec Alphonsine à dire des secrets.

Sous prétexte que la maîtresse lui enseignait le bon langage, elle corrigeait les hommes dans leur parler. Ce qui eut pour effet d'indisposer Amable qui la gourmanda et la traita de trousse-mêle. Il n'en fallut pas plus pour qu'elle fondît en larmes. L'aïeule vitement prit la part de l'enfant et jeta le blâme sur la température. Elle-même. disait-elle, souffrait d'inquiétudes dans tous les membres. Comme pour lui donner raison, une rafale plus forte secoua les vitres.

Amable s'en fut à la remise chercher un morceau de bois de marée et rentra tout transi :

— Y fait une vraie brise !

— Chauffe, Amable. C'est ça, chauffe, l'encourageait-on de partout.

Tous se groupèrent autour du poêle. Déjà le bois pétillait. On aurait dit ces paysans figés dans l'attente de quelque mystère. Soudainement Odilon demanda :

— Vous, monsieur Beauchemin, avez-vous eu connaissance de la grosse inondation ?

— Pas moé. J'étais rien que ça de haut. Ma vieille mère, elle, pourrait t'en dire long. Elle a tout vu. Avec ça qu'elle a une belle mémoire, capable de démêler une parenté, mieux qu'un notaire.

— Tu vas m'rendre vaillante avec tes compliments.

— Il est pas question de vaillantise, la mère.

— À quoi ça sert de parler du vieux temps ?

— Ça sert à montrer aux jeunes, qui passent leur temps à jeunesser d'un bord pis de l'autre et à se lamenter, qu'ils sont au ciel, au prix d'autrefois.

Alix, consolée, renchérit :

— Quand memère conte des contes, c'est beau.

Et Odilon, et Amable, et l'engagé, et tous l'exhortèrent si bien qu'elle commença :

— Dans l'ancien temps, les inondations arrivaient presque à chaque année. D'ordinaire dans le mois d'avril. C'était pas souvent que le mai « s'aplantait » sur le pont de glace. On n'en faisait pas de cas, vu que l'eau d'inondation est pas à dédaigner pour engraisser les terres. Mais ce printemps-là, l'eau était déjà haute sans bon sens quand toute la neige se mit à fondre comme par enchantement ; et l'eau des lacs et des montagnes se met à descendre en même temps. Loin de baisser, la rivière montait tranquillement, monte, monte, quatre, cinq pouces par jour. En apprenant d'un voyageur que des bancs de glace se formaient proche de Québec et que le fleuve coulait p'us, la peur nous prit. Ho ! donc ! les hommes montèrent les animaux à l'abri dans les greniers à foin, tandis que les créatures, à l'eau jusqu'au genou, grimpaient dans le haut des maisons tout ce qui leur tombait sous la main. Dans la semaine sainte, vers le mercredi saint, une tempête s'élève-ti pas avec une bourrasque de vent, de la mer et de la pluie comme y s'en fait p'us. Une vraie lavasse ! L'eau poudrait plus fort que la grosse poudrerie d'hiver. Le coup d'eau approchait.

La noirceur venue, il fallut passer la nuit debout, après avoir étendu nos paillasse et couché les enfants — j'en avais trois, un qui marchait sur ses trois ans, un qui avait pas deux ans, un dans les bras et, comme de raison, le quatrième sur le métier. Une triste veille à veiller l'eau avec mon vieux, Didace Beauchemin, une veille aussi triste qu'une veillée au corps quand arrivent les petites heures. Tout d'un coup, il m'a semblé que la vague renforcissait. Le temps de me dévirer, Didace, resté de fatigue, qui cognait des clous dans son coin, s'était réveillé. Dressé de tout son long et figé comme un pain de suif, il écoutait : l'eau frappait le plancher du haut.

— Grèye les petits ! Envoye fort. On va tenter de se sauver avant que la maison croule.

Pendant qu'il halait la chaloupe amarrée au châssis, je commençai à habiller les enfants. Au lieu de les envelopper, à tout moment, je les serrais, à les étouffer, sur mon cœur, sûre de jamais les revoir dans ce bas monde. J'avançais à rien ; on aurait dit que la peur m'avait changé les doigts en pouces. Le mien me suppliait d'aller plus vite. Mais les forces me manquaient ; je sentais déjà les premiers effets de la maladie. Mon sacrifice était fait. Ben résignée à mourir là, je dis :

— Sauvez-vous, tous les quatre, du mieux que vous pourrez.

Il pleurait comme un enfant. J'essayais de l'encourager :

— Si mon heure est arrivée, Didace, c'est ni l'un, ni l'autre de nous deux qui pourraient me retenir.

Sur le point de partir, tout en larmes, il s'arrêta :

— Je jurerais ben que le vent veut revirer de bord !

On attendit un rien de temps qui pesait plus que des années. C'était pourtant Dieu vrai ! Comme dans les miracles des saints Évangiles v'la-ti-pas que le vent se calmit, que la rivière se remit à couler et l'eau à baisser ?

— Vous deviez prier fort ? questionna Alix, tout émue.

— Nos lèvres remuaient pas même d'un signe, mais notre cœur était rien qu'une prière. D'un chaud matin j'ai voulu jeter un œil au-dehors. Le soleil se levait ; il mirait ses couleurs dans une mer d'eau. De la belle eau calme, lisse comme un miroir. Il y en avait à perte de vue, jusqu'à Saint-Barthélemy ; tous les îlets et les îles étaient à la nage. Mais c'était pas monde de voir les repoussis d'âbres passer à pleine rivière.

— Ah ! je l'ai toujours dit, interrompit Mathilde, une inondation c'est un tue-monde. Le butin tout « épaillé »...

— Pour notre part, reprit la grand-mère, ce fut le contraire, car quand on a descendu de l'étage du haut, au lieu d'être cinq, on étaient sept : j'avais fait l'emplette de deux bessons, un garçon, une fille, bien éveillés. C'est pas à demander si on a appelé le petit gars Moïse. Quant au ravaud que l'inondation cause dans une maison, c'est pas disable. L'eau laisse un limon qui meurt pas. Tout reste gris.

— Vous avez dû vous en souvenir longtemps ?

— Longtemps ? Je m'en souviens encore. Souvent, la nuit, vers la même heure, il me prend une souleur, et je me rendors rien qu'à l'aurore.

L'histoire était finie mais chacun la poursuivait à sa manière en une aimable rêverie. Comme il faisait bon d'être là à l'abri et à la chaleur !

Depuis un moment, du hoquètement de la pluie se dégageait un bruit à peine perceptible d'abord mais qui bientôt se précisa en des pas d'homme marchant à pleines foulées. Qui donc, sauf le garde-chasse, s'aventurerait dehors par une température semblable ? D'une voix étouffée, Didace questionna à la ronde :

— Quelqu'un de vous autres a-ti chassé ?

Aucun d'eux n'avait même pas songé à « dégraisser » son fusil.

Rassuré, il reprit son sang-froid.

— Entrez !

— Salut, la maisonnée !

Ce fut seulement à sa voix qu'ils reconnurent Ludger, le cavalier de Marie-Amanda, tant son visage rougi et ruisselant ne se distinguait guère du surtout et du suroit huilés. Ils étaient bien un peu mécontents de s'être ainsi mépris, mais le premier moment passé, c'était à qui lui ferait le meilleur accueil. Au dire de Mathilde Beauchemin, il n'avait pas « formance de monde ». De bonne grâce elle courut lui préparer une ponce de vin de gingembre qui le réchaufferait sans lui faire de dommage.

Didace le taquina sur son empressement à fréquenter Amanda :

Dans mon temps, quand j'allais voir les filles, ça prenait pas grand chose pour me faire revirer de bord : un grain de pluie, un petit air de vent, et j'm'en retournais à la maison.

Mathilde Beauchemin, rouge comme une pivoine, s'emporta :

— Modère tes passions, Didace. C'est pas pour rien que, dans tout le canton, tu passes pour un vrai cimetière de réputations.

De toutes parts on questionnait Ludger sur les choses de la navigation :

— Retournes-tu naviguer encore c't'année ?

— T'as pas l'idée de devenir « pilot » branché ?

— Qui c'est qui aura le « fanot » de l'île-aux-raisins ?

Mais même ragaillardi, Ludger demeurait avare de ses paroles. À la fin, il avoua à Didace Beauchemin qu'il avait quelques mots à lui dire à l'écart.

— Quoi c'est que t'as d'étrange à me confier, mon jeune ?

Parler est facile quand on n'a rien à dire ; mais quand un secret d'amour pèse sur l'esprit des garçons, les mots sont aussi durs à arracher que les souches, du cœur de la forêt.

— Vous savez que je fréquente Marie-Amanda pour le bon motif ?

— Sans doute.

— Quoi c'est que vous diriez si je la mariais, vot' fille ?

— Je dirais... ah ! je dirais rien en tout.

Il restait à savoir si Ludger avait du bien et quelles étaient ses intentions quant à la navigation.

— J'ai fait mon temps de navigateur et j'ai trois cents belles piastres de côté.

— C'est beau !

— Le père parle de me céder son lopin de terre à l'Îlette.

— T'as autant d'acquêt d'accepter.

De son côté, pour ne pas se montrer malamain, Didace lui offrit d'aller vivre avec eux, comme le garçon de la maison. Mais Ludger Aubuchon n'était pas homme à se laisser touer par un autre, fût-il le père de sa femme.

D'une voix monotone, Ludger commença à réciter la litanie des avantages qu'offrait l'île :

— Y a d'la plaine. Y a du sucre. Y a de la pêche. Y a d'la chasse.

Comme pour lui donner le répons, Didace répétait sur le même ton :

D'la plaine... du sucre... d'la pêche... d'la chasse... Je connais la place. Le printemps qui vient, tu y brûleras le paillis et t'auras d'la bonne terre, garantie, au printemps prochain.

Ils étaient à l'écart pour la forme, car les autres ne perdaient pas un mot de l'entretien. L'accord conclu, ils haussèrent simplement la voix.

— T'as l'air sûr de ton goût — commença Didace. Tu fais pas comme ce gars que j'ai connu dans mon jeune temps. Il avait entendu parler d'un homme ben à l'aise qui donnerait mille piastres à sa fille, en se mariant. Faut croire que la demoiselle apportait pas grand agrément. Un dimanche au soir, le garçon se décide à faire la demande. Seulement il savait pas que le bonhomme avait quatre filles. « Il faudrait d'abord que tu vinssis me dire laquelle est-ce des quatre que tu veux y marier », lui demanda le père. Le jeune homme, qui pensait rien qu'aux mille piastres, répond sans réfléchir : « Ça m'fait pas de différence, je prendrai n'importe laquelle ».

Ils riaient aux éclats, Didace le premier. Odilon se carra dans sa chaise et toussa. Il avait la réputation de pouvoir relancer le meilleur conteur d'histoires : tous se turent.

— J'ai connu mieux que ça. Pas loin de Maskinongé vivait un homme ben riche qui avait six filles à marier. Toutes belles, toutes rougeaudes et grasses à fendre avec l'ongle. Y a-ti pas un gars de la ville qui s'amène dans le rang. À part d'être ben planté et de parler un peu d'anglais, il avait rien, pas même une taule. Quand il a su que le vieux donnait mille piastres à chacune de ses filles, il s'est trouvé mal. « J'vas faire une affaire avec vous », qu'il dit au père : « à ce prix-là, j'les prends toutes les six ».

Ludger, que l'émotion, le vin de gingembre et le voisinage du poêle avaient visiblement réchauffé, ne suffisait pas à s'abattre l'eau dans la figure, à grands coups de mouchoir. Marie-Amanda tarderait-elle longtemps à paraître ? Chacun, devinant subitement son désir, se mit à interpeller la jeune fille :

— Marie-Amanda !

— Amanda !

— Manda !

Et Alix, impuissante à retenir plus longtemps un tel message de joie, lui cria :

— Descends vite, tu te maries avec Ludger Aubuchon !

Ce fut ainsi que Marie-Amanda apprit ses accordailles.

13

une nouvelle
connaissance

Didace, sur le bout du quai, humait le nordêt. Une pluie fine tombait. Les canards noirs se jetteraient sûrement. Il héla sa femme :

— Vieille, appareille-moé donc un lunch : je vas à la passe.

Mathilde lui conseilla :

— Profites-en donc pour faire connaissance à la volée avec le nouveau gardien de la « light » à l'île-aux-raisins. Surtout tâche de te montrer aimable. Ça pourrait nous porter profit : on sait jamais...

Au Chenal du Moine, on considère une sinécure la charge de gardien de phare : être fourni d'essence, de bois, outre le traitement et logement, la moitié de l'année. Mais cette fois, le « fanot » avait échu à un étranger, «un gros casque de Maska », disaient par dérision les gens du pays.

Didace plaça son stock de chasse en sûreté dans la pince du canot et il partit à l'aviron.

Justement le gardien du phare, un six-pieds, était à ravauder sur le bord de la grève. Le père Beauchemin colla son canot le long du quai et fit la connaissance de Tit-homme Duplantis. S'agissait-il de la branche des Duplantis les draveurs ou des Duplantis les poissonniers ? Ce point éclairci, il se mit à examiner l'homme. Un bel homme ! Planté comme un arbre ! Les épaules double largeur, les mains, de vrais battoirs ! Il ne se lassait pas de le « détailler ».

— Quand vous étiez une jeunesse, vous deviez être ben fort ? questionna Didace, plein d'admiration.

— J'étais assez fort, répondit le gardien simplement.

— Vous deviez fesser à tour de bras ?

....

— Vous deviez ben vous battre comme quatre hommes ?

— J'ai pas connaissance de m'être battu.

— Voyons ! rappelez vos souvenirs.

Et pour exciter la mémoire du géant, il lui raconta :

— Aux chantiers, j'ai connu un homme de vot' taille, le coffre de vot' épaisseur, un bûcheux dépareillé qui se reposait de bûcher en sciant une corde de bois. Un « boulé », un vrai, toujours paré à se batailler. Il était assez forcé de sang que quand la maladie de la bataille le prenait trop fort, il avait peur de lui ; il nous demandait en grâce de le retenir. Alors on se mettait six bons hommes d'une grosseur raisonnable pour l'empêcher de se battre. Plus je vous regarde, plus je vous trouve pareil à lui. Ah ! vous avez dû en faire des massacres, vous itou ?

Après une pause, l'autre avoua :

— Pas à ma connaissance.

Didace s'échauffait :

— Dites-moé pas qu'un taupin comme vous, vous avez pas seulement, dans vot' jeune temps, donné une bonne claque en pleine face à quelqu'un ?

— Je pense pas, reprit doucement Tit-homme.

Didace enrageait à la vue d'un homme voué à la force et qui n'avait pas même eu le cœur de s'en servir :

— Si tu veux savoir ma façon de penser, Tit-homme Duplantis, t'étais rien qu'une grand-vache.

Et sans un mot de plus, il « décosta ».

14

un petit noël

La veille de Noël, au matin, Ludger Aubuchon, immobile, dressé comme une colonne sur le coteau, au milieu de l'île, regardait d'un regard dur le paysage de tristesse offert à sa vue. Il regardait les arbres nus tourmentés par des bourrasques, la terre grise que la gelée avait crevassée de toutes parts, et les maisons transies, malgré le rempart de paillis au solage, sous les assauts du vent jour et nuit à l'affût de quelque ouverture. Il regardait surtout les bordages qui dentelaient à peine l'île et le Saint-Laurent charriant des glaçons à pleine rivière. Que n'aurait-il donné pour voir le fleuve se figer à l'instant en un pont de glace qui lui permettrait de courir à Sorel acheter quelque gâterie à Marie-Amanda et le jouet convoité par sa petite Mathilde ?

— C'est de malheur, dit Ludger en entrant à la maison, d'entreprendre de tristes fêtes semblables. Pas de messe de minuit. Pas moyen d'aller dans nos familles. Ça va être un petit Noël.

— Quel temps fait-il ? questionne Marie-Amanda.

89

— Ah ! on gèle. Le diable est sur la butte et les liards pètent partout.

On dirait qu'il y a apparence de neige.

— On dirait. Mais pourtant...

— Ça serait ben une vraie bénédiction s'il neigeait.

— Oui. La glace se souderait vite et le pont prendrait dans l'espace d'un rien de temps.

— Ludger, ça toque à la porte, dit la jeune femme.

Avelin Millette, un voisin, tout en s'essuyant les pieds sur le rond de tapis, présente sa requête en peu de mots :

— Ça te ferait-il de quoi, Ludger, de venir reconduire ma vieille mère au quai de Sainte-Anne ?

— Hein ? Quoi c'est qu'elle a, ta vieille mère ?

— Elle a qu'elle est morte hier, à la veillée.

— Ah ! fait Ludger simplement, en témoignage de sympathie.

Le couple se signe. Tous deux, recueillis, pensent pieusement à la sainte femme qui vient de mourir, mais ils ne trouvent rien à dire. Avelin, les yeux fixes, assis près de la table, se berce adossé à une peau de mouton usée à plusieurs places.

Marie-Amanda, la première, se décide à rompre le lourd silence :

— Est-ce qu'elle a pâti avant de mourir ?

Avelin raconte :

Non. Elle s'est éteinte comme une lampe qui manque d'huile. Elle a passé, sans une plainte, comme un petit poulet.

— Tout de même, mourir à la veille de Noël, remarque Ludger, c'est mal s'adonner.

— Surtout un vendredi, avec deux jours de fête qui se suivent. Sans compter que votre femme me ressemble : elle attend la maladie avant longtemps.

— Je sais tout ça, admet naïvement Avelin. Si t'es consentant, Ludger, on ira mener la mère à Sainte-Anne à matin dans ta grande chaloupe tôlée. Y a pas sur l'île un autre bâtiment capable de traverser. La glace coupe en scie ronde, mais la navigation, toé, c'est ta hache !

Ludger consent de grand cœur, sans chercher à esquiver la rude corvée :

— C'est pas de refus. Avec l'aviron, deux paires de rames et de la précaution, on devrait se rendre sans périr.

Marie-Amanda n'ignore pas le risque que son mari encourra, mais elle ne songe même pas à l'en détourner. Mieux, elle l'encourage :

Va, mon Ludger, puisqu'il le faut !

*   *   *

Le train fait à la hâte, ils ont couché la morte, parée de ses vêtements du dimanche et enroulée dans une couverture grise, sur un lit de paille à la tête de la chaloupe. À trois ils glissent l'embarcation, à l'aide d'un traîneau, sur la glace vive des bordages jusqu'à l'eau noire du fleuve. Sur la rive, des amis, par petits groupes, les accompagnent du regard. En route pour le voyage de peine et de misère !

— L'eau est forte, remarque Avelin, en s'éloignant de l'île.

— Oui, répond Ludger, on a encore l'eau d'automne contre nous autres.

Mais ils n'ont guère le temps de converser. Deux hommes aux rames, l'un à l'aviron, ils courent d'abord les éclaircies de plus en plus rares parmi les glaces qui cernent le bateau pêcheur. Ils dérivent parfois à un arpent de leur course et patiemment s'engagent de nouveau vers leur but. La chaloupe affolée monte sur une banquise qu'ils calent avec soin ; ou elle enfonce presque à affleurement d'eau. Pour la troisième fois, Ludger remonte dans la pince la morte qui a glissé à ses pieds. À chaque manœuvre, les rames s'épaississent de glace. Deux heures durant, des masses au bout des bras, ils bataillent contre le vent, le froid, les glaces, sans un mot de reproche. Eh ! ho ! donc! rame, Ludger ! pousse, Avelin ! tire, Joachim !

*   *   *

Requiescat in pace !

Maintenant que la vieille paysanne a échoué au dernier port, les hommes s'appareillent sans retard au retour périlleux. Dans une course chez le commerçant de Sainte-Anne, Ludger a obtenu quelques douceurs pour les siens. Tous les trois se hâtent vers la chaloupe : un brouillard se lève au nord et la noirceur vient vite. Allégés du poids du cadavre, les bras moulus, ils rament à coups de cœur, en silence, accompagnés seulement par le tumulte de l'eau qui geint à l'assaut des glaces. Que l'île est loin !

Enfin, l'île ! Havre tant espéré ! Ils arrivent, crevés de fatigue, mais qu'importe ! La morte repose dans son pays et un grand contentement venu du devoir accompli les habite.

92

Ils se quittent tout bonnement comme si de rien n'était, sous la neige qui prend.

— En te remerciant, Ludger.

— Y a pas de quoi, Avelin.

Il neige. « Il neigeotte une neige follette de rien », pense Ludger. Mais c'est un commencement de réconfort.

*   *   *

Après un repas frugal qu'il a dévoré de bel appétit, Ludger s'installe dans la grand-chaise berçante, à la douce chaleur, près du poêle qui ronfle. Aussitôt la petite Mathilde court se blottir dans le creux de ses bras. Après les cantiques de Noel, il lui chante :

> *Mon petit Jésus, bonjour !*
> *mes délices, mes délices,*
> *Mon petit Jésus, bonjour !*
> *mes délices, mes amours.*
>
> *J'ai rêvé, cette nuit,*
> *que j'étais au paradis.*
> *Mais ce n'est qu'un songe...*

Soudain il se tait : l'enfant s'est déjà endormie. D'avoir cette fleur vivante, la chair de leur chair, accrochée à son cou, de regarder sa fière épouse accomplir pour leur joie à eux trois la besogne nécessaire, il tressaille de bonheur, d'un débordement de bonheur. Il voudrait en parler le surplus à Marie-Amanda, d'un parler franc, dans le droit fil de la vérité, mais il ne le peut pas. Toutes les choses qui rendent son sentiment fort et d'un grain serré sont liées à lui ; elles adhèrent à lui comme

93

l'écorce à l'arbre, il ne saurait les détacher pour en faire des mots.

Tandis qu'il s'assoupit à son tour, des images éparses voyagent dans les lointains de son rêve.

— Il neige à plein temps, remarque joyeusement Marie-Amanda.

Mais Ludger n'entend rien. Marie-Amanda les regarde dormir, l'homme et l'enfant, leurs deux têtes réunies. Son cœur reçoit avidement le don de leur présence, comme la terre altérée boit une tombée de pluie à petite eau, l'été.

— Mon Dieu ! murmure-t-elle, comblée. Vous m'avez tout donné !

N'a-t-elle pas tout ce qu'il lui faut : un mari tendre et fort, une belle enfant, une bonne maison, de la santé, de quoi manger ? N'attend-elle pas bientôt un fils, si le Divin Maître le veut, puis deux plus tard, puis quatre, et quelques filles tant qu'elle n'aura pas son nombre ?

— Tu dors, dit-elle en réveillant doucement Ludger. Viens coucher la petite. On va prier le Bon Dieu et tu iras dormir en paix. Demain, Noël !

— Demain... Noël... répète rêveusement Ludger.

quatre contes

Le bleu, c'est la vie...
André Bergeron

15

un vrai taupin

Tel homme fut brave tel jour.
(proverbe espagnol)

Au grand soleil de mai, l'homme, affaissé sur une chaise, suivait d'un œil indifférent les ébats de trois étourneaux à la poursuite d'une corneille, voleuse d'œufs dans les nids. À tout moment il frissonnait malgré la douceur de l'air printanier. Dans son regard soudainement agrandi passa une lueur de détresse, à l'approche du malaise désormais familier. Tordu comme un arbre déjeté par la tempête, il se mit à tousser d'une toux tenace, impuissante à se calmer. Longtemps après il resta anéanti, les bras ballants et sans ressort.

Quand la crise fut passée, son compagnon lui demanda doucement :

— Tu prends pas de mieux, Jacquot ?

Le malade branla la tête. Il haletait.

— On dirait que le cœur veut me sortir de la poitrine. J'suis pourtant pas un plaignard. Mais j'achève de traîner ma carcasse.

— Parle pas de même, lui reprocha l'autre. Tu devrais plutôt essayer de te désennuyer. Sors avec les jeunes de notre âge. T'es là tout seul, à jongler...

— Sortir ? Pour où aller ?

— Viens aux noces de Jean-Marie.

— Faire rire de moi ? Ou chercher à me faire plaindre ? Jamais !

Gêné, le compagnon, avant de livrer son secret, oscilla sur ses jambes, comme un bateau qui tangue :

— Si tu veux le savoir, c'est Roseanne qui m'a chargé de la commission.

— Roseanne !

Une image éblouissante miroita aux yeux de Jacques Beaurivage. Depuis qu'un mal étrange l'avait terrassé, il s'interdisait même de penser à la belle fille qu'autrefois il convoitait pour femme. Et aujourd'hui elle l'appelait ? À l'idée de revoir Roseanne, son clair regard, sa bouche à la saveur d'un fruit mûr, son corsage bien fourni, ses hanches pleines, une ardeur subite repoussa si loin le sang vicié qu'il se sentit l'appétit d'un jeune loup. Et il n'hésita plus.

*   *   *

Quand Jacquot arriva à la noce, plusieurs tournées de rasades avaient déjà donné de la façon aux amoureux et délié la langue des plus timides. À grand-peine, il réussit à se faufiler auprès d'un groupe d'hommes âgés en paisible conversation à l'écart. De là, sans être vu, il pouvait suivre des yeux les danseurs, leurs gambades et leurs jeux. Tout brûlant du désir de danser, il souffrait d'être parmi les vieux. Que venait-il chercher ici ? Sa place n'était pas à la noce, mais sur un lit de mort. Dans sa hâte de fuir, il bouscula une chaise. Mais l'hilarité générale le retint sur le seuil de la porte : le comique entrait en scène. Avant même que celui-ci eût fait mine d'ouvrir la bouche, tous s'esclaffèrent. Le moindre de ses gestes leur paraissait drôle, parce qu'il était consacré comique et qu'eux étaient là dans le but de s'égayer coûte que coûte. À la première bouffonnerie, ils rirent à se tordre. Le farceur, singeant un bateleur du théâtre forain, débitait un boniment, si vite qu'il ne suffisait pas à refouler sa salive :

— Venez, mesdames et messieurs. Venez voir danser Fioume le Beau Sacreur, le meilleur danseur du canton. Il passe, je vous mens pas, plus vite qu'un éclair graissé. Approchez, les dames. Ayez pas peur, les demoiselles...

Noirs de rire, les assistants s'en tenaient les côtes. Jacques savait qu'un étranger, profitant de sa maladie, faisait ouvertement la cour à Roseanne. Il le verrait de ses yeux, ce Louis Desmarais à qui la vantardise de posséder une collection des pires sacres — mais que nul n'avait jamais entendus — avait valu le sobriquet de Beau Sacreur. Appuyé contre le chambranle de la porte, il le regardait mener avec Roseanne une gigue si endiablée que le ménétrier avait toutes les peines du monde à le suivre.

— Câline ! y va plus vite que le violon, disait une femme en grande admiration devant lui.

À la vue de son rival en pleine santé, fort comme un chêne, Jacquot se sentit faiblir. Blessé à mort, assailli par une meute de regrets, plus perdu au milieu de ce monde joyeux que dans un désert, il s'inclina en signe d'abdication. Mais en relevant la tête il rencontra le regard de Fioume, insolent, glorieux. Toute la lie qui, petit à petit, avait déposé au fond de son cœur, depuis des mois, remonta d'un seul jet : « Ah ! je suis condamné à mort, hein ? Rien que bon à jeter dans la fosse, hein ? Le peu de temps qui me reste à vivre, ils vont me le payer le prix ! » Sans sourciller il avala six verres de petit blanc et se mit en quête d'autres. Sur son chemin il agaçait les filles ; ses doigts décharnés faisaient des marques dans les nuques grassettes, mais il avait surtout l'idée à boire. Comme Roseanne cherchait à l'en empêcher, il cracha, la bouche amère, pour que tout le monde entendît :

— As-tu peur que je prenne mon coup de mort ?

Et la repoussant durement, il lui dit :

— Va retrouver ton sacreur. Ton beau sacreur. Moi j'suis rien qu'un beau buveur.

*   *   *

Le plus ancien de la famille du marié achevait la complainte des vieillards quand, au milieu du couplet, un cri de détresse paralysa la noce. Affolée, une femme pointait son enfant au sommet de la tour de transmission électrique, sur la terre voisine. Pris de panique, le petit n'osait pas redescendre et, par ses signaux, appelait du secours. À tout instant il pouvait périr soit en tombant, soit en touchant un fil à haut voltage.

Tous les gens de la noce s'affairaient à droite et à gauche, mais nul ne voulait monter dans la tour.

— L'important, disait l'un, est d'avertir le gardien : qu'il enlève le courant !

Mais le gardien était aussi de la noce. À moitié ivre, il n'entendait rien et on ne put obtenir de lui un seul mot de bon sens.

Un autre parlait de courir au village. Un troisième se disait dans la nécessité subite de retourner chez lui. Chacun lambinait et se défilait.

— Sauvez mon enfant, implorait la mère.

Sans avertissements, deux bras secs comme des sarments fendirent l'assemblée ; c'était Jacquot qui se frayait un chemin. En passant, il darda son coude aiguisé par la maigreur dans la chair épaisse de Fioume.

— Tas de graisse rance ! lui décocha-t-il, sang de mouton ! T'es meilleur pour sacrer et faire sauter les filles que pour sauver ton semblable, hein ?

Fioume, le sang au visage, se redressa sous l'insulte, mais Roseanne se pendit à son bras pour le retenir :

— Sacre pas, ti-Louis, je t'en prie.

— S'il faut qu'il lâche sa bordée de sacres, disaient les femmes en pleurs, on est morts.

Dédaigneux de tous, Jacquot s'élança dans la tour.

— Je monte au ciel. Le beau buveur monte au ciel, ricanait-il, perdu dans les brumes de l'ivresse.

Il ne savait pas au juste ce qu'il faisait, il sentait seulement qu'il montait, montait toujours. En bas les regards escaladaient la tour à la suite de Jacquot. Mais malheur ! arrivé au sommet, au lieu de secourir l'enfant, il se mit à exécuter des pirouettes et des cabrioles, d'une tige de fer à l'autre, comme si ce fût là jeu tout simple. Au moment où il tirait le petit de sa position périlleuse, chacun poussa un soupir de délivrance. Mais il lui restait à redescendre, à la grâce de Dieu !

Le gardien de la tour s'avançait titubant sur ses jambes. La tête ébouriffée, les yeux petits, hébété, il bégaya :

— Qui ça, le taupin, en haut de la tour ?

Une fusée de rire partit de vingt gosiers à la fois :

— Le taupin ? C'est Jacquot, le consomptif à Beaurivage !

— C'est un vrai taupin, que je dis !

*   *   *

Une heure plus tard, Jacquot agonisait. Son acte d'audace accompli, il s'était écroulé, inconscient, au pied de la tour. Le docteur arriva bientôt au chevet du mourant, installé sur un canapé. Encore essoufflé par la course il contempla longuement le malade qu'il jugea désespéré.

— Qu'on lui donne de l'air, commanda-t-il !

Et il alla lui-même respirer à la fenêtre.

Le maire de la paroisse, fort excité, l'entraîna dans un coin désert.

— On devrait lui offrir une médaille, chuchota-t-il. Si ça lui fait pas de tort, ça lui fera toujours pas de bien. Je veux dire : Si ça lui fait pas de bien...

Le docteur réfléchissait tout en frisant sa moustache :

— Oui... oui... ça nous fera toujours pas de tort. Le père Beaurivage est pesant dans le parti.

Le maire de la paroisse et le docteur s'entendaient à merveille : l'un était préfet du comté, l'autre, député.

— Mais la médaille, où la prendre ?

— J'en ai justement une sur moi, docteur ; je devais la donner en hommage à un grand collège, mais je me sacrifierai. Et ce n'est pas de la guenille, docteur, de l'or à dix-huit carats. D'ailleurs, les notables devraient se faire un devoir sinon un plaisir de se cotiser pour offrir un petit quelque chose à l'un des leurs. Je la céderais au prix coûtant, bien entendu.

— Voilà une idée de génie, approuva le médecin en retournant à son malade.

Le secret vola de bouche à oreille, chacun y agréant sans trop se faire prier. Au docteur appartenait bien l'honneur de décorer le jeune brave, toujours privé de connaissance sur sa couche. Ayant parlé de son émotion en termes délicats, il commença à décrire la fierté que la paroisse, le comté même éprouvait à l'égard d'un si noble cœur. Fierté que, dans son enthousiasme, il eût volontiers fait partager par toute la province, le pays entier, si un léger mouvement de retraite de la part du préfet ne l'eût averti à temps.

— Pauvre Jacquot ! disait une femme, la larme à l'œil, un si bon cœur d'homme ! Il aura attrapé un effort...

— Vos concitoyens, reprit le docteur, m'ont donc chargé d'épingler sur votre poitrine la médaille des braves.

Comme il était myope et que l'épingle ne voulait pas accrocher, il se contenta de déposer la médaille sur l'oreiller. Puis il prit le pouls du malade. De l'autre main, il tira sa montre qu'il examina attentivement. Après un long moment, il fit signe aux assistants que le malade baissait à vue d'œil.

Rien à faire qu'à attendre la mort et à recueillir les dernières paroles du brave, s'il reprenait conscience. Aurait-il un mot doux pour Roseanne qui pleurait à chaudes larmes ? Ou prononcerait-il une de ces phrases mémorables qui font l'orgueil d'une famille et que chacun allonge ou farde aux couleurs de son imagination ? Soudain le mourant se mit sur son séant. Dans un arrachement il commença :

— Je veux... Je veux...

Toute l'assistance était suspendue à ses lèvres.

— Veux-tu parler à Roseanne, mon Jacquot ?

Le malade fit signe que non. Et tout défaillant il recommença :

— Je veux...

— Laissez-le, murmura une voisine pleine de zèle. Je sais ce qu'il veut : il veut mourir en brave. Hein, Jacquot ?

— Non, je veux... le bassin.

*   *   *

La nature, guérisseuse sans diplôme, avait battu l'homme de science. Une fois l'abcès pulmonaire miraculeusement vidé sous le coup d'aussi fortes émotions, Jacquot qu'on ne nommait plus que Taupin, soigné largement par le soleil et l'air pur, s'acharna à guérir. Rien à la ferme n'était trop bon pour un tel brave. Taupin n'avait pas même exprimé le désir de manger une aile de poulet que le père Beaurivage tordait sans marchander le cou au chapon le plus enviandé. La mère, elle, allait de gaieté de cœur lever du nid les œufs encore chauds en un temps où les meilleures pondeuses pondaient comme à regret. Tout à la joie de se laisser revivre, Jacquot ne faisait rien d'autre à la longue journée que de regarder danser l'eau au soleil ou la lumière couler entre ses doigts merveilleusement charnus.

Sur la fin de l'hiver, Taupin redevint en santé. Les épaules ouvertes comme des ailes, il buvait l'air à grandes gorgées. Altéré de vie, il tendait son visage à la neige, aux hauts vents et quand il était seul, ce regain lui arrachait des cris de joie. Il était le printemps même dans toute sa verdeur. L'arbre déjeté par la tempête se redressait sous une poussée de sève.

Un bon jour, avant longtemps, Roseanne serait sienne. Une fière femme elle lui ferait la Roseanne, une femme étoffée, agréable à l'œil et dure à l'ouvrage. Et elle lui donnerait des enfants à la douzaine, des fils solides, des filles fortes. À la pensée de cette grappée de Beaurivage s'épandant sur le domaine familial, il rayonnait.

Son bonheur eût été incomparable sans l'insistance des voisins qui, sous le prétexte le plus futile, surgissaient à la maison et exigeaient le récit de sa résurrection. Si Taupin, les yeux bas, affectait de s'esquiver avec toute la modestie qui sied à un héros, ils prenaient un haut ton :

— Fais pas le fiérot, Taupin. Oublie pas une chose : on a souscrit à la médaille.

Force lui était de recommencer pour la centième fois l'histoire du sauvetage dont il n'avait qu'une vague réminiscence.

À l'été ce fut pis. Au moindre danger, on courait le chercher :

— Le paratonnerre sur le chapeau de ma grange est dérangé. T'es brave, Taupin, tu devrais ben grimper le replacer.

Ou c'était un arbre difficile à abattre, une coupe dangereuse, une chaloupe chavirée en eau profonde.

— Ho ! donc ! plonge au large, mon Taupin. Montre-nous ta bravoure.

Il s'en tirait comme il pouvait mais, en secret, il s'exerçait à tousser :

— Je suis pas Samson, leur disait-il d'une voix qu'il tâchait d'affaiblir. N'allez pas croire que je suis guéri en plein. Il s'en faut.

Avait-il donc reconquis la vie pour l'unique plaisir de s'exposer à la perdre ?

Une nuit, marié depuis peu, il fut réveillé en sursaut. On frappait à grands coups dans la porte. Il tremblait de tous ses membres ; ses dents claquaient. Si c'était un malfaiteur qui agitait la clenche ? S'il allait se trouver en face d'un gaillard armé ? N'eût été la honte de se montrer sous son vrai jour, poltron, faible, il aurait volontiers arraché au sommeil sa Roseanne qui n'avait peur de rien. Sans faire de lumière, il se leva à pas feutrés en évitant la troisième planche du parquet qui craquait et, à l'affût il écouta :

— La grange à mon père flambe, disait la voix angoissée d'un jeune voisin, et les animaux ne veulent pas bouger de l'étable. Il n'y a que toi, Taupin, avec ton don qui est capable de les faire sortir. Arrive, Taupin ! Viens nous donner un coup de main !

Il fit le mort et attendit que l'intrus fût parti. Puis il retourna s'allonger auprès de Roseanne dans le lit moelleux et, la tête enfouie dans d'oreiller, il éclata de rire.

Le dimanche suivant, à la criée, il réclama la parole.

— Mes amis, dit-il, vous êtes pas raisonnables. Tout à chacun vient, le jour, la nuit me demander de montrer ma bravoure. De la bravoure, de la bravoure, vous imaginez-vous que j'ai ça à la brasse ? J'suis brave, c'est reconnu. La preuve, c'est que j'ai la médaille. Quoi c'est que vous voulez de plus ?

Après des réflexions aussi pleines de bon sens, on le laissa tranquille.

16

le bouleau d'argent

Quand la mère Dumoulin reconnut sur la route la voiture de sa voisine, elle cessa d'étendre le linge. Puis elle attendit que le conducteur passât devant la maison pour lui crier d'un ton de plaisanterie :

— Il paraît que tu te prives de rien ! Tu te promènes en concorde, la semaine, à c't'heure ?

Le jeune serviteur, qui allait déjà petit train, ralentit encore l'allure de son cheval. Et sûr de son effet, il mit du temps à répondre :

— Je viens de mener quelqu'un aux chars.

Incrédule, la mère Dumoulin questionna en riant :

— Aux chars ! Et qui ça, je te le demande ?

— Mademoiselle Émérence. Elle est allée en promenade chez ses parents de Brumeville.

— Partie en voyage, mademoiselle Émérence !

Du coin de son tablier à carreaux la mère Dumoulin s'épongea le front. Un éblouissement la gagnait. Elle s'appuya si pesamment sur la perche que la voilure des draps gonflés par le vent faillit tanguer jusqu'à terre. Elle ne voyait plus rien des choses qui l'entouraient : ni la blancheur bleutée des toiles, ni l'éclat des vêtements de couleur mis à sécher sur la clôture, en bordure de la tréflière, encore moins les jeux de la lumière sur la montagne, en face. Son regard avide fouillait l'horizon pour découvrir au loin la route où filait mademoiselle Émérence. Partie ! elle qui ne quittait jamais la paroisse ! Et sans en dire un mot à qui que ce soit ! Il y avait du mystère là-dedans.

*   *   *

Mademoiselle Émérence, pour la dixième fois, tira sa montre accrochée à une léontine d'or qui lui vient de sa mère. Dans une heure, enfin ! elle sera à Brumeville. Cahotée à droite et à gauche, elle en est tout étourdie. Comme elle se sent loin de son pays montagneux aux bourrelets de verdure à mesure que le train avale la plaine étrangère, maigre, toute d'une venue ! « J'ai eu tort de céder », réfléchit-elle. Mais aussitôt elle repousse l'arrière-pensée. Vraiment des liens plus serrés doivent unir deux sœurs. À peine se voient-elles une fois l'an, à la fête du Calvaire et Élodie l'invite depuis si longtemps. Une fois de plus elle veut relire la lettre qui l'a décidée au voyage. De son réticule elle sort avec précaution une liasse de papiers si précieux qu'elle n'a pas voulu les confier au solide bahut du grenier.

— « Que je te plains », dit la lettre, « de vivre seule, enfermée toute l'année dans ton ancienne maison de pierres, si éloignée du chemin ! Quand tu auras vu notre cottage, tu ne voudras plus retourner au Petit Brûlé. D'abord nous demeurons sur la route nationale. C'est un va-et-vient continuel du matin au soir. Si je m'écoutais, je passerais mon temps à regarder passer le monde.

« Laisse-moi te dire que je ne manque de rien. Toutes les commodités, je les ai, jusqu'à un évier-cuve dans ma cuisine. Tu connais Hercule. Tout ce que je veux, il le veut. Il parle même de me donner un bain-tombeau. Dans mon boudoir, j'ai un beau divan-studio, tout du moderne !

« Inutile de te dire que ce n'est pas la même vie qu'au Petit Brûlé. Depuis trois mois que nous sommes rendus ici, la maison ne dérougit pas de visites : tous les notables de la place sont venus à tour de rôle. Il faut que je te raconte une aventure qui m'est arrivée à propos d'un pain de Savoie. Mais, à y repenser, ce serait un peu long par lettre, je t'en reparlerai de vive voix.

« J'allais oublier le principal : apporte ta robe de toilette. Tu auras l'occasion de la mettre. C'est une surprise que nous te réservons... »

Mademoiselle Émérence soupire et branle la tête : toujours la même ! cette Élodie, de dix ans sa cadette, frivole, entichée de tout ce qui est à la mode, bon cœur, mais tête de linotte. De quelle surprise veut-elle parler ? se demande la vieille fille, inquiète, tandis qu'elle rassemble ses papiers. Cinq, six lettres glissent par terre : la faveur qui les retenait vient de se briser. « Oh ! mes lettres d'amour ! » murmure-t-elle, rougissante, en se hâtant de les ramasser. Un instant elle ferme les yeux. À travers la trame floue de son unique amour, la haute silhouette d'un jeune homme passe et repasse à vingt-cinq ans de distance. Avait-il la démarche fière et dégagée, l'amoureux de jadis ! L'allure d'un roi ! À le voir avancer sur la route, n'aurait-on pas juré que Dieu n'avait créé la merveille du monde que pour son bon plaisir ? Un véritable roi ! Et son regard myope, à travers le lorgnon, semblait chargé de tant de rêves ! Lorsqu'il s'adossait à un arbre pour réciter des vers, quelle voix plus douce et plus charmeuse aurait pu caresser une oreille ? Ses dernières paroles s'étaient incrustées dans le cœur de mademoiselle Émérence ainsi que leurs deux noms dans l'écorce du bouleau : « Promets-moi de m'attendre, Émérence, et de penser à moi près du bouleau d'argent. »

Émérence avait tenu sa promesse : elle attendait toujours.

Une autre voix la fait tressauter :

Brumeville, la prochaine station !

*   *   *

— Et tu ne me questionnes même pas au sujet de la surprise ?

— Ah ! oui, la surprise...

Élodie veut faire languir sa sœur mais elle ne résiste pas au plaisir de révéler le secret sans retard : les Brumevillois fêtent, le lendemain, les cinquante ans de leur maire par une grande soirée à laquelle Émérence est invitée. D'accord, Élodie et son mari entonnent les louanges du premier citoyen de Brumeville avec un zèle si évident que Mademoiselle Émérence soupçonne leur intention. Pourquoi ne la laissent-ils pas en paix ? Qui donc leur a confié la mission de la marier à tout prix, elle dont le roman de jeunesse comble tout le cœur ?

Élodie ne désarme pas. Sur le point de se rendre à la fête à laquelle Émérence a consenti à assister pour ne pas peiner sa sœur, elle insiste encore : « Les honneurs ne te disent donc rien ?

Être la mairesse de Brumeville, c'est un avantage, il me semble. Et je t'assure que Parfait Meilleur te ferait un excellent mari. Il noce un peu à l'occasion, mais sans se déranger. Du moins je ne le crois pas, n'est-ce pas, Hercule ? »

Hercule approuve du chef. Il approuverait du chef même si sa femme affirmait que la terre est carrée.

— Parfait Meilleur ! murmure Émérence, saisie d'émotion.

— Oui, c'est le nom de notre maire.

— J'ai connu autrefois un étudiant de ce nom, avoue-t-elle comme en rêve.

— Justement, il est notaire de sa profession.

— Parfait Meilleur ! un grand brun, légèrement myope. Un vrai poète, délicat de manières...

— C'est en plein lui, reprend le beau frère réaliste. Un gros noir qui louche un peu, ventru juste pour dire. Un homme d'élection. Je ne vous dis que ça, Émérence, un homme d'élection !

— Vous avez bien dit : un homme d'élection, mon beau-frère ? questionne Émérence qui se raccroche à ce bout de phrase comme à une planche de salut.

— Oui, un homme qui a pas son pareil sur une plateforme pour faire rire les gens. Le corps toujours plein de farces !

— Ton Parfait Meilleur avait-il une petite oreille ? demande Élodie, sans merci. Le nôtre en a une.

Pitié pour Mademoiselle Émérence ! Leurs paroles s'enfoncent en son cœur comme autant de coups de glaive.

— Émérence ! mais qu'as-tu donc, Émérence ? Elle fait la toile. Vite, Hercule, de l'eau froide, du vinaigre !

* * *

Pendant qu'Élodie triomphe d'assister à la grande soirée de Brumeville, Mademoiselle Émérence, seule dans la maison, ses lettres d'amour étalées devant elle, vient de prendre une grande résolution : elle écrira à son amoureux d'autrefois. Personne ne réussira à ébranler sa foi en lui. Et la plume tremble entre ses doigts tandis qu'elle trace le nom de l'aimé :

« Parfait,

Vous n'avez pas cinquante ans, c'est impossible. Pour moi vous aurez toujours vingt ans. N'est-ce pas hier ou ce matin que je vous écrivais, à propos d'une discussion sur le spleen : « Le bleu, c'est d'entendre les hommes appeler lâcheté le courage de rester au foyer, d'ignorer le mot bonheur, en comprenant le sens du mot devoir ». Et vous me répondiez : « le bleu, c'est de voir nos belles illusions et nos chaleureux enthousiasmes vieillir avant l'âge ou s'envoler pour ne plus revenir ; c'est de penser parfois qu'il ne sert de rien d'élever la voix ; c'est se sentir convaincu qu'on prêche à un peuple de sourds et d'aveugles... » Une autre fois : « le bleu, c'est le rêve, c'est d'être tellement mêlée au paysage qu'on voudrait se croire une petite chose de givre », ou encore « c'est de comprendre qu'au-delà du bois il y a la ville, que c'est fête là-bas et qu'on n'y est pas conviée ». Vous me rassuriez aussitôt en me répondant : « c'est le repos, la campagne, c'est vous que je connais et que je... »

La plume glisse des mains de Mademoiselle Émérence. Ah ! ces trois points ! Combien de fois les a-t-elle baisés amoureusement durant ces vingt années d'attente !

Elle reprend la plume qui gît sur le tapis :

Ombelline et Enervale

André Bergeros

« Vous souvenez-vous des billets doux que nous déposions au creux du bouleau d'argent ? L'arbre est toujours là... »

Et, décidée à jouer franc jeu, elle l'invite à venir la voir à Brumeville. Puis, dans la nuit, elle court jeter la lettre à la poste. Au grand jour, en aurait-elle le courage ?

*   *   *

Élodie s'étonne un peu, le lendemain, de retrouver sa sœur dont le teint s'est soudainement avivé, en toilette à une heure matinale, mais elle ne peut que s'en réjouir. Deux, trois jours passent sans que le maire de Brumeville paraisse. La vieille fille l'excuse de son mieux : un maire qui est en même temps notaire n'a pas que des visites d'agrément à faire. À chaque coup de cloche elle sursaute. C'est lui, se dit-elle.

Mais ce n'est jamais lui.

Au bout d'une semaine, elle désespère de le revoir. La pensée qu'il a pu lui prêter quelque intention mesquine la crucifie. Elle ne vit plus. Puisqu'il le faut, elle ira, oui, elle ira tout lui expliquer, à sa maison même.

*   *   *

La servante qui accueille Mademoiselle Émérence est lente de compréhension.

— Dites-lui bien que c'est une vieille connaissance, Mademoiselle Émérence, qui veut lui parler. Vous avez bien compris le nom, É-mé-ren-ce !

Et le supplice de l'attente recommence. La tête de la vieille fille est une enclume qu'un forgeron invisible martèle sans répit.

Ses mains sont de glace. Il ne faut pas que Parfait la trouve dans cette attitude de misère. Sur la pointe des pieds, elle va à la fenêtre ouverte se mirer dans la vitre. De deux, trois pincées elle ranime les couleurs de ses joues et elle retourne s'asseoir avec précaution en déployant les godets de sa robe de soie puce. Soudain elle entend qu'on déplace une chaise là-haut. Son cœur bat à grands coups mais elle s'impose d'être calme. Rêve-t-elle donc ? Une voix s'élève qui récite sur le mode du plain-chant : « le bleu... le bleu... » et elle reconnaît à peine dans la voix avinée la voix chaude et charmeuse du beau diseur de vers... « le bleu, c'est un bouleau d'argent où une vieille fille attend... le bleu, c'est une demoiselle Émérence qui voudrait bien se trouver un mari... Ah ! ah ! le temps des bouleaux d'argent est fini... »

Tandis qu'elle fuit crispée de douleur, la voix éraillée, cruelle, pénètre encore en elle. Affolée, dans sa détresse, elle se croit au Petit Brûlé ; elle marche au milieu du chemin. Avec l'instinct d'une bête blessée, elle n'a qu'une idée : atteindre son gîte où se terrer pour y souffrir sans témoins. Les gens de Brumeville, étonnés, s'arrêtent et la regardent qui presse son cœur à deux mains. Bientôt une ribambelle d'enfants lui font cortège :

— Une femme en fête ! une femme en fête ! ricanent-ils à mi-voix.

Elle ne voit rien. Elle n'entend rien. Tout l'enchantement de sa vie s'écoule à grands jets par la blessure qu'aucun baume humain ne saura jamais guérir. De larges gouttes d'eau tombent sur le précieux corsage de soie puce. Il ne pleut pas pourtant : par une embellie le ciel se montre tout d'azur. C'est Mademoiselle qui pleure à chaudes larmes.

* * *

Le curé du Petit Brûlé ne traverse jamais le rang sans aller saluer Mademoiselle Émérence — rien de ce qui touche ses paroissiens ne lui est indifférent — et depuis le voyage à Brumeville, elle lui paraît si étrangement changée qu'au moindre prétexte il accourt lui faire visite. Le vieux prêtre qui a affronté tous les malheurs sait qu'un jour ou l'autre, elle appellera le secours de la parole évangélique. Il attend patiemment que l'heure sonne d'elle-même.

Dès le pas de la porte, il entame la conversation :

— J'ai su que vous aviez fait chantier récemment : vos hommes ont coupé le bouleau d'argent au bout du domaine ?

— Eh ! oui ! monsieur le curé.

— Pour quelle raison, puis-je vous demander, avez-vous fait abattre un si bel arbre ?

Mademoiselle Émérence, mains jointes, yeux bas, répond d'une voix à peine perceptible :

— Il nuisait, monsieur le curé.

*   *   *

Un grand silence épais comme la brume automnale tombe sur eux et les gêne tous les deux. Le curé sait bien que l'arbre était sain et à sa place.

Mademoiselle Émérence soulève un pan du rideau pour mieux regarder l'éclaircie, mais de lassitude, le laisse retomber aussitôt.

Et elle parle d'autre chose.

17

les demoiselles mondor

Déi Mondor se mourait.

À bout de souffle, il fit signe qu'il voulait parler. Aussitôt ses deux filles se précipitèrent auprès du lit. À l'aide d'une plume qui trempait dans un bol d'eau, l'aînée humecta les lèvres du malade.

Comme un mauvais vent les mots sifflèrent entre les dents du mourant :

— Soyez pus inquiètes, les petites filles : je vous laisse en moyens. Gardez Pansu avec vous deux au moins jusqu'après les récoltes ; il est de service et il connaît toutes nos pratiques.

— Parlez pas tant, père Mondor, vous êtes navré, lui conseilla la Belle-Emma qui allait aux malades dans toutes les familles à l'aise de la paroisse et dont le nom était le reliquat d'une jeunesse aventureuse.

À partir de ce moment, le vieux entra en agonie. Transfiguré, les traits rapetissés et la vue rivée à un angle du plafond, il semblait déjà rendu dans les régions de l'Infini, contempler quelque terre prodigieusement féconde.

Les planches du parquet craquèrent quand la Belle-Emma se déplaça pour dire à sa voisine :

— Il vaudrait mieux éloigner les Demoiselles : le bâille de la mort s'en vient.

Sèches et ossues, jaunes de teint, Ombéline et Énervale, les filles à Déi Mondor, avaient passé fleur depuis longtemps : elles approchaient de la soixantaine. À cause de la dignité de leur maintien et d'une réserve exagérée dans leurs relations avec le voisinage, on ne les nommait pas autrement que : les Demoiselles. Depuis qu'elles avaient l'âge de connaissance, une disparité de caractères — Ombéline était violente à l'excès contrairement à Énervale, douce de son naturel — les faisait se détester à la petite haine, grugeuse et quotidienne.

L'installation de Pansu dans la maison des Mondor avait été un événement. D'accord pour une fois, les sœurs s'opposaient à la présence de l'étranger, gros, gras, encore jeunet et sans doute plein de mauvais plans. Moitié parce qu'il était têtu, moitié parce qu'il lui répugnait d'évincer un engagé aussi serviable, Déi persista dans son idée. Les Demoiselles boudèrent mais Pansu avait une si belle façon, il montrait une telle habileté à réparer tout ce qui s'en allait en démence sur la ferme qu'il désarma leur méfiance au bout de peu de temps.

Ce fut donc sans répugnance qu'elles suivirent le conseil de leur père.

Deux, trois mois passèrent. À l'assurance de son pas, à une certaine manière qu'il avait de se carrer dans la meilleure chaise ou d'élever la voix, il était évident que Pansu assumait de jour en jour la place du maître. Une des vieilles filles était-elle d'humeur morose ? Vite il l'engageait à sourire. Beau parleur, par son verbe charmeur il endormait le mal ou bien il portait à rire en invertissant les mots. D'un grand sérieux, il demandait : « Si c'est pas trop de sucre, voulez-vous me passer le trouble ? » ou bien : « Il fait chaud dans le poêle, vous avez une maison qui tire ben ».

C'était pour elles d'un effet hilarant.

Pas un secret de la terre qu'il ne connût. Il savait tout : les vertus de l'huile de patte de bœuf, l'art de disposer le gros sel au pied des asperges après le coucher du soleil, et ceci, et cela. Et tout. À leur insu les Demoiselles se prenaient d'amour pour lui. À peine avait-il vanté la saveur des herbes salées qu'Énerval suggérait timidement à sa sœur d'en mettre une pincée dans la marmite, sous prétexte de bonifier la soupe. Ombéline fronçait les sourcils et protestait de son mieux, mais affectant d'être distraite, elle en jetait deux pleines cuillerées dans la soupière.

Les Demoiselles, jadis austères et économes, s'adonnaient aux frivolités et aux risettes à tous et à chacun. Ombéline faillit se trouver mal quand elle découvrit Énerval en train de chauffer le tisonnier à même la brise pour onduler sa chevelure. Ce ne fut rien au prix de l'étonnement de la cadette quand elle vit l'aînée revenir du village, vêtue de neuf et parfumée.

— Demandez-moi qui c'est qui pue l'odeur de même ? questionna-t-elle à la ronde.

Dès le lendemain Ombéline prit sa revanche en apercevant sa sœur, la figure blanchie comme à la chaux :

— Ma pauvre enfant, dit-elle d'un air innocent, serais-tu par accident tombée dans le quart à fleur ?

Plus haineuses que jamais, elles se transpercèrent du regard.

Une semaine entière ne se passait pas sans que les Demoiselles qu'on avait toujours connues sédentaires allassent au village, à tour de rôle. Tantôt l'une prétextait un entretien particulier avec son confesseur, ou bien l'autre prétendait qu'au milieu de la nuit elle avait senti une douleur étrange au côté gauche et qu'il lui fallait consulter le docteur.

— T'étais moins plaignarde auparavant, remarquait amèrement la gardienne, tandis que Pansu et la voyageuse s'apprêtaient au départ.

Sur leur passage, les anciens, étonnés d'un pareil dévergondage, se criaient d'un champ à l'autre :

— S'il faut que les Demoiselles se mettent à galoper et à porter des falbalas, la fin du monde est proche.

* * *

Par un midi de juillet, Pansu se jeta dans le petit bas-côté. L'été atteignait à son mieux. L'air était embrasé ; pas un souffle n'agitait le feuillage et le vent ne promettait pas encore de s'anordir. L'engagé, en quête d'un peu de fraîcheur, arracha les boutons de sa chemise et dit :

— Démon ! Y veulent ben nous faire rôtir tout vivant !

Les filles n'en firent pas de cas, occupées qu'elles étaient à dresser le manger. Mais quand elles eurent trempé la soupe aux pois et qu'elles furent en face de ce poitrail gras, devant cette chair saine où perlaient des gouttelettes de sueur, la plus jeune devint rouge comme une porte d'enfer. L'aînée bougonna :

120

— Couvrez-vous ! couvrez-vous ! des plans pour attraper quelque fluxion de poitrine. Si c'est raisonnable de s'exposer de même !

L'obèse se mit à rire de sa bouche charnue où la soupe avait dessiné une moustache d'or. Il riait de ses larges épaules, de son poitrail gras et de tout son corps épais. La table de bois franc en était encore secouée quand, selon sa coutume, il alla s'allonger au ras des aulnages, après le repas.

*   *   *

L'on croyait la fête de l'été encore loin d'achever lorsque l'homme arriva en survenant. Cependant aux grandes bourrasques de pluie succéda un temps clair et assez doux.

Les Demoiselles étaient constamment dans les rêves. L'amour, en premier dérouté dans les vieux pays de ces cœurs déserts, avait fait du chemin et s'attardait à plaisir dans la demeure tiède.

Mais Pansu n'était plus le même. Devenu regardant, il n'avait pas avalé la dernière bouchée qu'il se sauvait au dehors.

Une rafale d'inquiétude finit par s'abattre sur la maison, un jour que les sœurs suivaient des yeux Pansu, dans sa marche vers l'étable.

— Veux-tu me dire ce que t'as à tant frétiller sur ta chaise ?

— Et toi, tu t'étires pas le cou, non ? Si le vent revirait de bord, tu serais belle à voir !

— Faut ben que tu te sois jamais aperçue dans un miroir pour parler de même.

— Commence donc par regarder tes vieilles mains toutes plissottées, tes mains de vieille. Les as-tu vues, comme il faut, à la grande clarté ?

— L'effrontée ! Penses-tu qu'un homme peut aimer une créature qui a, à la place du cou, deux nerfs secs comme des cordes de violon ?

Soudain les deux voix se turent, cassées net : la fille à la Belle-Emma, une roussette à la démarche onduleuse, se glissait en chatte le long des bâtiments jusqu'à la tasserie attenante à l'étable.

Après un grand moment de silence, Ombéline se ramassa comme une bête prête à bondir :

— L'homme infâme ! Il aime mieux une bonne-à-rien qu'une fille respectable. C'est pour dire qu'il y a pas un torchon qui rencontre pas sa guenille !

Outrée, ne trouvant pas d'invectives assez fortes pour marquer l'engagé, d'une voix aigre elle en inventa de poissardes, de basses. Par deux fois elle dut ravaler sa salive.

Toute recroquevillée, la fragile Énervale ne faisait que pleurer et ses larmes tombaient par larges gouttes, douces et molles, dans les rigolets de ses vieilles mains.

Ombéline s'émut à la vue de cette peine toute nue et sans défense, pareille à un enfant naissant.

— Pleure pas, Énervale, reprit-elle sans colère. Tu vas me dire la vérité.

Et évitant de prononcer le nom de l'infidèle, elle questionna :

— Je suppose que le beau verbeux t'a conté des merveilles ?

— Oui, soupira Énervale, des merveilles.

— Il t'a conté la fois qu'il avait vu un signe de mort : la grosse arête noire d'un poisson dans le ciel ?

— Il m'a conté qu'il était « pilot » à bord d'une goélette qui a chaviré. Sans un gros steamboat qui a recueilli l'équipage, aujourd'hui le Pansu ferait pas grand-poussière.

— Et l'autre fois qu'il était à l'affût en plein lac, dans un petit bac, t'a-t-il dit qu'une trombe d'eau a passé à cinquante pieds devant lui ?

— J'ai eu connaissance qu'il m'a parlé d'une fois que le lac était blanc d'écume et qu'il a vu s'avancer une masse d'eau. Longtemps après, il poudrait encore comme en hiver. Lui me l'a dit, mais je l'ai pas cru.

— À toi aussi, il a tout dit ?

— Il m'a tout dit !

Au bout d'une pause prolongée, Ombéline demanda avec effort :

— Quand tu rentrais du village, seule à seul avec lui, il t'a-t-il déjà passé la main tranquillement dans le cou, en faisant la patte de velours ?

— Déjà, murmura Énervale, dans un souffle.

Mais vite encline au pardon, elle ajouta :

— Il faisait peut-être pas pour mal faire.

— Guette ! réfléchit vivement Ombéline.

Quand il fit brun, d'un filet de voix à peine perceptible, Énervale reprit :

— Ce que tu m'as dit, Béline, pour mes vieilles mains, c'est vrai.

123

L'autre s'indigna :

— Pense pas ça, Énervale, je te le défends.

— Comme si je savais pas que je suis décharnée.

Énervale conclut tristement :

— On est des vieillardes, nous deux.

Il y avait quelque chose de changé en elles. Déjà aux petits soins l'une pour l'autre, les Demoiselles Mondor trouveraient dans la haine du même homme la raison d'une amitié durable :

— Mange donc, Énervale, tu vas perdre toutes tes forces.

— J'ai pas plus faim que la rivière a soif. Je t'en prie, marche pas tant, Ombéline, toi qui a les pieds sensibles.

*   *   *

Sur le soir l'homme revint, heureux et accablé. Avant même qu'il eût saisi la pompe pour boire à même, les Demoiselles, d'un signe, lui montrèrent l'argent de ses gages, sur le coin de la table. Ombéline, les yeux baissés, de nouveau renfrognée, lui dit sèchement :

— Le temps des récoltes est fini. À c't'heure, on n'aura pas besoin de vous.

124

18

le petit bac
du père drapeau

D'un pas traînard et somnolent, le père Drapeau, gardien de nuit, parcourt le corridor dans toute sa longueur, ouvre une porte, sonde une barrure, en raffermit une deuxième. Quoique l'aube grisonne déjà, il promène sa lanterne de poche sur les murs, dans les coins, partout. Il connaît son métier, quoi ! depuis trente ans qu'il le pratique au même endroit. Puis, satisfait, le vieux bâille, étire ses membres engourdis. Il retourne à sa chaise dure qui l'empêche de s'endormir et recommence d'attendre les six coups de l'horloge.

À le voir, non pas rigide, posté en embuscade, mais affalé, à patienter, les bras ballants dans sa vareuse, comme un épouvantail, qui oserait croire que le père Drapeau a de grandes ambitions ? Et pourtant il en a de bien grandes. À six heures, sa dernière ronde terminée, il deviendra rentier, pensionnaire de l'État. Après avoir veillé, la nuit, dormi, le jour, pendant trente ans, il mérite bien de connaître l'ordre des choses.

Ah ! voici l'aurore blanchissante ! Entre ses cils larmoyants le père Drapeau aperçoit la fin de son terme de gardien. Il l'aperçoit comme un objet bien à soi qu'il peut serrer et relâcher à volonté.

Cinq heures et quart. Le jour pointe pour de bon. Pauvre père Drapeau ! En fait-il des rêves sous la visière de sa casquette rabattue ! Seuls le riche ou le pauvre peuvent être extravagants. Le pauvre, plus encore que le riche. Le riche qui a de vastes moyens se contente d'une maison de pierres des champs, massive, avec des volets bleus, sur le flanc de la colline. Le pauvre, qui n'a rien, rêve d'un château à tourelles ; de plus il lui faut carosses et laquais. Mais l'homme ordinaire qui, à chaque instant doit surveiller ses sous, ne peut en demander autant. Voilà pourquoi le père Drapeau, petit rentier, n'ambitionne même pas d'avoir pignon sur rue : mais une simple cabane au bord de l'eau, une cabane solide sur ses quatre poteaux.

Soudain un bruit réveille la bâtisse, un bruit sourd rampe dans la pièce voisine. Le corps tendu, révolver au poing, le père Drapeau aux aguets, se retient de respirer pour mieux dresser l'oreille. Ce serait bien le restant des écus si quelque malfaiteur allait l'achever, à sa dernière nuit de garde.

Dans son temps de gaillard aurait-il eu du contentement à rencontrer face à face un véritable bandit, pour lui montrer la couleur du poing des Drapeau, maîtres-batailleurs de père en fils, du premier jusqu'au dernier dans la lignée, même qu'on retrouve trace d'une semblable bravoure jusque chez leurs parents éloignés. Mais le bandit qui s'attaquerait au père Drapeau maintenant qu'il ne lui reste plus que l'erre d'aller... oui, ça serait bien le restant des écus.

— Y a-t-il un voleur ici dedans ? Répondez, ou je vous tire !

Une ombre grise, toute poilue, se glisse le long de la plinthe.

— Miaou !

— Chat de malheur, tu finiras par me rendre fou !

Cinq heures et demie. Encore une trentaine de minutes. Le sort en est jeté. Le père Drapeau aura une cabane solide sur quatre poteaux, avec des capucines. Sa vieille en voudra sûrement : elle raffole des fleurs, et des fruits qu'à l'automne elle mettra en pot. Et sur le devant de la cabane il y aura un bateau. Pas un gros bateau, ah ! que non ! Que ferait-il d'un gros bateau, le père Drapeau ? Une chaloupe serait même de trop. Tout ce qu'il demande, c'est de passer ses grandes journées sur l'eau, à la clarté du ciel.

Six heures moins le quart. Le soleil se lève, radieux. Il fera une bien belle journée. Oui, un petit bac suffirait. Un petit bac qu'il construirait à temps perdu et qu'il percherait le long des berges, que peut-il espérer de mieux ?

Ding, ding, ding, ding... ding... ding...

*   *   *

Flambant neuf, tout de gris peinturé, le petit bac se balance au bout de son amarre. Dans sa forme naïve il fait penser à un dessin maladroit, enfantin, de l'arche de Noé. Plat de fond, au moment où l'on s'y attend le moins, les deux bouts en retroussent curieusement. Pour dire la vérité, il porte à rire. Mais le père Drapeau a beau l'examiner à droite, à gauche, de près, de loin, cligner de l'œil, bornoyer, écarquiller les yeux, il n'y trouve aucun défaut. Même il croit que meilleur bateau n'a jamais existé.

De bon matin, chaque jour, il s'embarque. Voyons ! a-t-il tout ce qu'il lui faut, l'ancre, le boucaut à vers, la canne à pêche, la chaudière à poisson, la gaule ? Donc, il décoste, non pas à tour de bras et à la hâte, comme quelque impatiente jeunesse, mais prudemment, tout aux petits soins pour son petit bateau, en en surveillant les flancs, l'arrière, le devant. Il ne se rassasie pas des joies de l'eau, le père Drapeau. La rivière n'a plus un seul secret pour lui. Les moindres criques et les jonchaies, s'il les connaît ? Les coins ombrageux et les chenaux soleilleux, les rigolets, les pointes, les creux, il s'y rendrait les yeux fermés. Fait-il soleil ? Le temps est-il à la pluie ? C'est une journée à vent ? Il a un endroit propice pour tous les temps. Au soleil levant comme au soleil couchant, à midi tapant, à la petite eau ou à la grande eau, soit que la rivière monte, soit que la rivière baisse, on peut le voir sur l'eau, le chapeau abaissé sur les yeux, la canne à pêche dans une main, la pipe dans l'autre, qui tend la ligne, comme si cette heure était la dernière qui lui reste à vivre. « Qui tend la ligne », car se dire pêcheur est une chose, mais autre chose de l'être. Le père Drapeau a beau pêcher, rarement il prend un poisson.

Quand quelque passant par malice le questionne :

— Ça mord-il, le père Drapeau ?

Il hésite, puis répond en traînassant :

— Ah ! Ç'...a pi...gnoche... Ça pignoche...

Le fait est que les poissons lui rient au nez.

— Ne vous inquiétez pas, mes enfants ! — font signe de leurs ouies les mères carpes à leurs carpeaux, — ce n'est que le petit bac du père Drapeau.

Et perches, carpes, brochets, avalent les vers et sautent hors de l'eau, à deux pieds du bateau. Jusqu'au fretin gros comme rien qui joue à le railler gaminement :

— Père Drapeau, père Drapeau, regarde-nous, les petits menés !

Mais le vieux fait nargue des mauvaises mœurs de cette poissonnaille.

Viennent maintenant les alouettes qui se mirent sans gêne à l'eau claire, tandis que de grands oiseaux altiers ne dédaignent pas de s'abaisser. De jeunes mauves passent et repassent, le vol nonchalant, s'inclinent, happent un poisson à affleurement d'eau et déferlent au large du ciel. Même le butor se défige sur le bord de la grève ; de son couac le moins perçant, il salue une sarcelle et sa couvée. Et le croiriez-vous ? Deux demoiselles, ailes bleues, ailes brunes emmêlées, se disent un secret sur le bout de la canne à pêche. On le connaît si bien, le père Drapeau. Mais le plus drôle, c'est de voir la vache s'avancer jusque dans l'eau pour mieux le montrer à son veau :

— Vite, petiot ! Voilà le petit bac du père Drapeau !

Quiétude, horizons, lumière, le père Drapeau possède tout. Quand, le visage au vent, l'œil au loin, il hume l'air du nord, laissant le petit bac glisser parmi les nénuphars et les flèches d'eau, que l'aviron fait bruire la soie des rondes feuilles aquatiques, vertes crinolines étalées sur le velours de la rivière frangée de joncs, on chercherait vainement à cent lieues à la ronde homme plus heureux.

Mais la mère Drapeau ne partage guère un tel bonheur.

— Pignocher, pignocher, c'est bien bon, se dit-elle, mais vive le poisson qui mord à même l'hameçon et qu'on fait cuire à pleine grande poêlée, avec du lard salé, pour bien se régaler.

Comme elle connaît les lisières de terre noire où le vieux pioche les vers, après chaque repas elle va en secret y jeter les eaux grasses. Dans quelque temps, pense-t-elle, les vers auront meilleure façon. Peine perdue. Quoique les vers soient remuants, tout frémissants, de si belle longueur que d'un seul on en ferait deux fort aisément, le père Drapeau revient bredouille quotidiennement. Certes, ce n'est pas une carpe-à-cochon ou un crapet-soleil à l'écaille sèche ou à l'œil chaviré, qui vaut qu'on décroche le poêlon.

Mais un soir, que s'est-il donc passé ? Le petit bac tout désorienté prend le mauvais bord du quai, et le père Drapeau est si changé qu'on le croirait défiguré. La voix morte, avant même d'accoster, il fait signe :

— Vieille, viens voir ce qu'il y a dans le petit bac !

La vieille se hâte tant qu'elle manque de choir à la renverse. Sur de l'herbe-à-perchaude, des perches à la douzaine, de la superbe perchaude d'août, les ouies rouge vif, plus un bon nombre de crapets, remuent encore.

— C'est comme rien, s'extasie-t-elle, t'as dû tomber tout dret dans le nid.

Le lendemain le miracle se répète. Plus frétillante que le poisson au bout de la ligne, la mère Drapeau s'émoustille :

— Cette fois, on le fera cuire en gibelotte avec des oignons, des herbes salées, et une bonne sauce pour le relever. Tu pourrais inviter quelque voisin à souper ?

Le vieux bougonne :

— Reprends tes sens, la bonne femme, reprends tes sens.

Et tout le temps qu'il range ses agrès de pêche, il gronde comme le gros bourdon.

— Regardez moi le donc qui va devenir marabout à c't'-heure !

Incapable de se contenir plus longtemps, le père Drapeau éclate :

— Tu comprends pas ? Les femmes, ça comprend rien. Ça comprend jamais rien !

— Je comprends pas quoi ? questionne la vieille tout effarée.

Alors le père Drapeau, la bouche tordue, hurle à tous les vents :

— Tu comprends pas que, s'il faut que ça se mette à mordre, j'pourrai p'us pêcher tranquille !

lexique

abonnir : se bonifier, s'améliorer

accordailles : fiançailles

accoter : égaler, surpasser

affût : guet, cache pour chasser le canard

air de vent : souffle, respiration

alléluia : cri de joie

amen : au bout

anordir (s') : tourner au nord

appareiller : se préparer à partir

atourner : parer, vêtir

aulnages : aulnaie, lieu planté d'aunes

avé : prière à la Vierge Marie

avents : les quatre semaines avant Noël

balise : petit arbre placé l'hiver de chaque côté d'une route pour en indiquer le passage

bas-côté : appentis

benoît : doucereux

berlander : flâner

bonnet, casque : personnage important

bordages : glace qui adhère aux rives des rivières

bornoyer : regarder d'un œil pour vérifier un alignement, une surface plane

boucaut : bocal, vase

boulé : homme fort

bourrasser : brusquer, rudoyer

bourrée : travail forcé et rapide

branché : commissionné

cabriole : saut léger

capucine : plante potagère et d'ornement

casanier, casernier : qui aime rester au logis

casque, bonnet : personnage important

chandeleur : fête de la Vierge Marie, 2 février

charrois : chariots

chars : wagon de chemin de fer, train

chignon : gros morceau

cogner un somme : faire un somme

concorde : voiture de promenade, à quatre roues, tirée à cheval

contrarieux : qui aime à contredire

coquer d'un œil : loucher

coup de poche : tournée de quête

crémone : cache-nez en laine tricotée

daube (à la) : en vase clos

décoster : partir, s'éloigner du bord

démence : ruine

demoiselle : libellule

dévirer : tourner

134

donner (se) : s'engager pour se faire vivre

ébuard : coin de bois fort dur

écarter (s') : s'égarer

échinée : quartier du dos d'un porc

écore : rive escarpée d'une rivière

encanter (s') : s'incliner, s'appuyer

endêver (faire) : faire enrager

engagère : servante

épierrer : débarrasser (un champ) des pierres

équerre (d') : d'accord

équipée : voyage aventureux

érocher, épierrer : débarrasser (un champ) des pierres

erre : allure

falbala : vêtement prétentieux

fanot : fanal

faraud : galant

faveur : ruban

fluxion de poitrine : pneumonie

formance : apparence

forsure : fressure, cœur, foie d'animal

fournil : petit hangar

grazil : petits cristaux de glace

frérot : cousin germain par le père et par la mère

gaule : grande perche

gibelotte : fricassée, mets médiocre

gnome : nain difforme

godet : faux pli d'une étoffe

goret : jeune cochon

grasse à fendre avec l'ongle : tellement grasse que la peau fendrait à l'ongle

greyer : équiper, garnir

grugeuse : qui désagrège, attaque

guette : c'est à savoir — attention

guilleret : gai, vif

héliotrope : fleur qui semble suivre le soleil

hiver des corneilles : derniers soubresauts de l'hiver

itou : aussi

jabot : plissé de dentelle ajusté devant une chemise

jeteux de sort : sorcier

jeunesser : s'amuser

jonglard : songeur

laize : lisière

lavasse : pluie soudaine et violente

lèche : tranche mince

léontine : longue chaîne en or pour montre de dames

liard : peuplier noir

malamain : désobligeant

manger (se) les sangs : bouillir d'impatience

ménétrier : joueur de violon

mitan : milieu

mitasses : chaussures de laine, mitaines

moyens (en) : riche

mouillette : pain mince et trempé

navrer : suffoquer

nippes : vêtements

nordet : vent du nord-est

ouache : butte de joncs que les rats musqués bâtissent sur l'eau ; cabane

paillis : couche de paille

passe : canal étroit entre des rochers, bancs de sable, à l'entrée des ports

peter : fendiller, se briser, détonner

petit-blanc : whisky

pignocher : picoter

pince : bout d'un canot

plissoter : plisser légèrement

poissarde : grossière

praline : bonbon fait de crème et de sucre d'érable

prélart : toile imperméable, linoléum

pressis : jus de viande, suc d'herbes pressées

quant et : en même temps que ; avec

radoub : réparation à un navire

raidillon : petite pente rapide

ravaud : désordre, tapage

ravauder : errer çà et là, rôder

reginglard : petit vin aigrelet

reinqué, reinquié : reins, épine dorsale

remmailler : refaire les mailles usées

rentoiler : renforcer

repoussi : jeune pousse

resté : exténué

saint-joseph : fleur jaune

sébile : vaisseau de bois rond et creux utilisé pour faire la quête dans les églises

souleur : pressentiment, peur

suroît : chapeau imperméable, vareuse imperméable des marins

syncope : arrêt subit des battements du cœur

tasserie : partie de la grange où l'on tasse le foin

taule : sou

toile (faire la) : avoir une faiblesse, s'évanouir

touer : remorquer

trouble : peine, tracas

tréflière : champ semé de trèfle

trousse-mêle : importun

vaillantise : excès de travail, ardeur au travail

vareuse : blouse de grosse toile

veilloche : petit tas de foin coupé

vieillarder : devenir vieux (vin)

virole : petit cercle de métal

table des matières

QUATRE CONTES